D0766490

PERRO ÉDITEUR
395, avenue de la Station, C.P. 8
Shawinigan (Québec) G9N 6T8
www.perroediteur.com

DISTRIBUTION : Les messageries ADP
2315, rue de la Province
Longueuil (Québec) J4G 1G4
www.messageries-adp.com

IMPRESSION: Marquis Gagné
750, rue Deveault
Louiseville (Québec) J5V 3C2
www.marquisimprimeur.com

Illustration de la couverture : Audrey Boilard
Infographie : Jean-François Gosselin
Révision : Caroline Hugny

Dépôts légaux : 2013
Bibliothèque et Archives nationales du Québec
Bibliothèque nationale du Canada

ISBN 978-2-923995-12-0

Imprimé au Canada

LINDA CORBO

LAURA ST-PIERRE

TROP JEUNE POUR MOURIR

À mes parents

PREMIÈRE PARTIE

22 décembre, 14 heures

Je crois que je n'avais jamais autant apprécié voir apparaître, au loin, la maison de mes grands-parents Mathias et Doris. Ces vacances de Noël, il me semblait que je les attendais depuis un siècle. Après une première moitié d'année scolaire aussi stressante qu'exaltante qui m'avait permis de m'initier au journalisme, j'en étais arrivée en bout de ligne assez épuisée merci.

Je souhaitais que les deux prochaines semaines dans la merveilleuse nature de Vallée Station me redonneraient l'énergie nécessaire pour affronter les derniers milles de ma quatrième secondaire et qu'elles me permettraient de faire honneur à mon nouveau journal.

Mon amie Zoé avait été catastrophée d'apprendre que mon frère Thomas et moi nous absentions pendant tout le congé des fêtes. Elle me manquerait aussi. Mais désormais, une autre absence me faisait soupirer et voguait quelque part dans les eaux glaciales du Grand Nord. Ian Mitchell devait revenir de son expédition de photos le 15 janvier seulement. J'avais beau rêver au souper thaïlandais que nous nous étions promis à son retour, cette date me paraissait cruellement loin. Tous les deux ou trois jours, ses courriels me faisaient patienter autant qu'ils aiguisaient mon solide béguin pour lui.

En principe, nous devions gagner la campagne de Mathias et Doris le lendemain, 23 décembre, mais l'annonce d'une violente tempête prévue ce jour-là avait convaincu mes parents de hâter les choses, ce à quoi Thomas, Simon et moi ne nous étions certainement pas opposés.

Personne ne s'était plaint non plus de voir notre voiture s'arrêter enfin devant la maison des grands-parents, après deux heures de route qui n'avaient été interrompues que par un besoin urgent réclamé par le plus petit des frérots, Simon.

Lorsque je descendis du véhicule, l'air pur me frappa toutefois par sa froideur. Un vent glacé que mon fidèle ami Rocco ne remarqua même pas, bien trop occupé à nous rejoindre dès que la porte de la maison fut entrouverte. Ce superbe golden noir était le seul chien qui ne faisait pas peur à maman, du fait qu'elle l'avait connu bébé et qu'il était d'une « douceur anormale », disait-elle.

Il trépignait désormais sur place en branlant la queue frénétiquement, ce qui me fit sourire. Pour ma part, les fêtes avaient déjà débuté.

Autant j'aimais aller marcher longuement en forêt en compagnie de Rocco, maman et Simon, autant Thomas était chaque fois impatient de se retrouver dans l'écurie avec notre grand-père et ses trois chevaux qui ne demandaient qu'à les transporter dans des sentiers enneigés. Je dois avouer que les lieux étaient superbes pour cela. Néanmoins, après le rodéo imprévu que j'avais fait à l'âge de huit ans en tentant de faire de l'équitation, il était clair qu'on ne m'y reprendrait plus. Simon avait aussi peur que moi, mais lui, c'était le vertige qui le tenaillait. Et les chevaux de papi n'étaient assurément pas des poneys…

Simon avait beau avoir été adopté par mes parents il y a six ans, à l'âge de cinq ans, il s'était imposé dans le cœur de mes grands-parents de manière inouïe. En fait, si Thomas et moi avions été de nature jalouse, nous en aurions bavé un brin. Le contraire s'était plutôt produit. Je crois que nous aimions encore plus Mathias et Doris de lui avoir fait une place de choix.

Comme à l'habitude, la journée s'était déroulée à travers mille et un bavardages autour d'un café ou d'un jus. Les conversations avaient continué de s'entrecroiser à la table pendant le souper et ne s'étaient même pas atténuées par la suite, alors que nous étions tous en pyjama devant le foyer, au beau milieu d'un décor magnifiquement illuminé par les décorations de Noël abondantes de mamie.

Chaque année, c'était la même chose. Au premier jour de notre arrivée, tout le monde parlait en même temps, chacun racontant ses nouvelles et son bout de vie comme si nous n'avions qu'une journée devant nous alors que, dans les faits, nous aurions pu nous en garder pour les deux semaines à venir.

Il n'avait fallu qu'une heure pour que s'organise la randonnée à cheval du lendemain pour nos deux cavaliers. Papa resterait quant à lui à la maison de mes grands-parents pour finaliser quelques dossiers qu'il n'avait pas pu régler à temps avant Noël. Maman et Simon avaient prévu faire quelques magasins de la ville voisine pour compléter la liste des cadeaux alors que ma grand-mère et moi devions nous affairer à la cuisine, histoire de transformer encore une fois le réveillon en expérience gastronomique.

Après la forêt, la cuisine de mamie était devenue mon deuxième repaire de choix lors de mes vacances à la campagne. Depuis mes douze ans, j'y avais d'ailleurs acquis une expérience de plus en plus agréable à ses côtés. Si, au départ, je savais que grand-maman tentait de m'occuper plus qu'autre chose, la cuisine s'était transformée avec les années en un laboratoire palpitant pour moi.

Si bien que le matin du 23 arrivé, je me levai tôt. Dès 8 heures, j'étais fin prête à mettre la main à la pâte. Mais mamie m'avait déjà devancée, de sorte que je n'eus même pas le temps d'aller promener le chien… Rocco ne semblait pas m'en vouloir pour autant. Il était plutôt en poste lui aussi, bien installé à mes pieds, en attente. « Et si un peu de nourriture tombait du comptoir, hein ? » Je savais très bien que c'était l'idée fixe qui occupait la totalité de sa jolie tête de chien. Et il avait tout à fait raison. Quand j'étais au comptoir, il m'arrivait fréquemment d'échapper un morceau par-ci, un autre par-là, des bouts de nourriture qui tombaient devant lui comme par magie. Il m'aimait ce chien.

– Arrête ça un peu, Laura… Tu ne trouves pas qu'il a assez arrondi depuis cet été? observait ma grand-mère.

– Peut-être, mais c'est son seul défaut… Il lui en faut au moins un, tu ne penses pas?

– Je pense surtout qu'après le déjeuner, nous manquerons d'œufs pour ma recette de dessert, fit-elle songeuse, en fixant l'intérieur de son frigo. Je vais devoir aller en chercher au dépanneur après le dîner.

– Est-ce que je pourrais y aller? J'en profiterais pour promener Rocco…

– J'aimerais bien, mais je dois passer à la banque aussi… J'ai un chèque qui doit être déposé aujourd'hui.

– Ben, je vais le déposer pour toi. Est-ce que c'est toujours Marielle qui travaille?

– Tu connais Marielle?

– Bien sûr, c'est la grand-mère d'Élodie…

Élodie et moi nous connaissions depuis l'enfance, ce qui égayait aussi mes séjours à Vallée Station.

– J'en profiterais pour lui demander si Élodie est par ici pendant les fêtes ou si elle est chez son père.

– Parfait, tu connais le chemin?

– Mamie…

La maison de mes grands-parents était située en bas d'une côte, lovée dans un vallon, ce qui leur procurait l'avantage de n'avoir aucun voisin, sinon la rivière qui défilait à quelques mètres et que l'on admirait tous les jours du solarium qui s'ouvrait sur la salle à manger. En fait, on n'avait qu'à monter la côte pour rejoindre le village et y trouver l'église, l'école, le bureau de poste, la petite épicerie, la quincaillerie adjacente et le comptoir de la banque. C'était à peu près tout. Pour le reste, on devait s'en remettre à la ville voisine à quinze minutes en voiture.

C'est de là que revenaient Simon et maman en début d'après-midi, au moment où je m'apprêtais à quitter la maison avec Rocco.

– Où vas-tu comme ça? questionna ma mère aussitôt entrée, les bras chargés de paquets.

Sur ses talons, Simon était empêtré dans des sacs-cadeaux qu'il tentait maladroitement de dissimuler. Comme si nous pouvions voir nos surprises à l'intérieur…

– Je vais faire une commission au village, pourquoi?

– As-tu vu le temps qu'il fait dehors? La tempête est bel et bien commencée, ma belle… Veux-tu que je t'y emmène en auto?

– Mais non, j'adore les tempêtes. Et c'est si proche, je vais être revenue dans une demi-heure à peine.

– Ok, mais tu vas me faire le plaisir de mettre ça.

Je savais trop bien que si je n'acceptais pas la tuque rose de maman, nous en aurions pour trente minutes à nous obstiner. Et puis personne ne me connaissait vraiment ici… J'acceptai donc d'avoir l'air aussi ridicule.

En sortant de la maison, je ne pus toutefois pas m'empêcher de sourire en pensant à Zoé. Si notre designer en devenir me voyait avec cet accoutrement, je crois qu'elle renierait notre amitié…

Le bonheur avec Rocco, c'est que nous n'avions aucunement besoin de l'attacher. Non seulement il connaissait très bien les aires de la place, mais tout le monde savait aussi à quelle adresse il logeait. Mes grands-parents vivaient à Vallée Station depuis des années et, dans ces petits villages éloignés, tout le monde se connaissait. Je fis donc le pari qu'il m'attendrait sagement à la porte de la banque, vu la tempête qui s'était effectivement dangereusement levée.

Je m'aperçus rapidement que l'effet était pire aux grands vents, au cœur du village, provoquant un écran blanc qui donnait du mal à définir où était le ciel et où se situait le sol. Même les voitures se faisaient rares.

Marielle ne me reconnut pas immédiatement lorsque je me présentai au comptoir. Ce n'est que lorsque j'enlevai ma fichue tuque rose qu'elle me sourit.

– Laura? Wow, tu as drôlement changé depuis la dernière fois que je t'ai vue…

Marielle était une soie, comme le disait maman. Je partageais tout à fait son avis.

Elle tentait de me dire à quel point Élodie serait déçue de m'avoir manquée cette année quand des bruits de motoneiges envahirent l'espace sonore. Il devait y en avoir trois à l'extérieur, sinon plus, mais elles menaient un boucan qui tranchait avec le calme feutré de la banque, quasi déserte. Seule une dame visiblement enceinte accompagnée d'un

15

enfant en bas âge était assise en silence, attendant gentiment son tour.

– Ces fichues motoneiges… murmura Marielle en prenant mon chèque.

Sur son visage, je vis que les vrombissements l'agaçaient, mais c'est un bruit sec derrière moi qui attira le plus mon attention.

La dame, Marielle et moi eûmes toutes le réflexe de jeter un regard vers la provenance de ce bruit, ce qui nous mena à une vision trouble. Un homme se tenait devant la porte vitrée de la banque, coiffé de son casque de motoneige, le visage apparemment camouflé d'une cagoule noire sous la visière. Les mains derrière le dos, il nous regardait par la porte et, nous voyant l'observer, il entra aussitôt, suivi de deux autres gars qui n'arrêtaient plus de hurler. Et qui étaient armés.

– Que personne ne bouge! beuglait l'un d'eux.

– Couchez-vous par terre! criait l'autre.

Ce sont d'abord leurs cris qui me saisirent d'effroi. Puis les pleurs du petit gamin qui éclatèrent. En me couchant au sol, face contre terre, mes mains et mes joues ressentirent la froidure du carrelage alors que tout près de mon visage, je vis deux grosses bottes noires enneigées s'immobiliser, indiquant qu'un homme me surveillait de haut, et de près.

Mon cerveau galopait au même rythme que les battements de mon cœur. Je n'osais même pas relever la tête. Au ton des trois voix qui s'entremêlaient nerveusement dans la banque, je compris que les voleurs n'étaient pas très vieux.

Étonnamment, je ne tremblais pas, concentrée plutôt sur ce qui semblait se passer derrière le comptoir où Marielle expliquait aussi calmement que possible que c'était tout ce qu'elle avait dans son tiroir-caisse et que, pour obtenir quelques milliers de dollars de plus, elle devait se rendre dans un coffre en retrait.

– Mais vous ne trouverez pas une grande somme là non plus. Nous ne sommes qu'un comptoir de services… affirmait-elle d'une voix qui tremblait néanmoins.

– AVANCE, je te suis ! hurla celui qui semblait être le meneur du trio alors qu'à côté de moi, les deux grosses bottes faisaient un pas de côté, me laissant entrevoir une nouvelle ombre derrière la porte vitrée, à l'extérieur. En une fraction de seconde, je crus deviner qu'il s'agissait d'un homme du coin, mais l'ombre avait déguerpi rapidement.

Marielle ne parlait plus. On n'entendait dès lors que les pleurs paniqués du petit bonhomme qui, d'après ma vision périphérique, semblait couché à proximité de sa mère. Un troisième homme tout près d'eux éleva encore la voix.

– Dites-lui d'arrêter ! somma-t-il à la mère qui tenta une approche courageuse.

– Laissez-moi me relever, s'il vous plaît. Je vais pouvoir le prendre dans mes bras, hasarda-t-elle. Il est effrayé…

– ALLEZ ! pesta l'homme cagoulé.

J'entendis le bruissement du manteau de la dame, puis les sanglots étouffés du gamin. Je devinai qu'il avait désormais le visage enfoui dans le manteau de sa mère.

– PLUS VITE QUE ÇA ! entendait-on plus loin.

Je compris que Marielle et le meneur de troupe se trouvaient désormais dans la pièce adjacente où se situait le coffre de sûreté. J'entendais la grand-mère d'Élodie murmurer, mais je ne comprenais aucun mot clairement. Il me semblait toutefois que les choses ne se passaient pas aussi rapidement que souhaité. Les deux autres gars s'impatientaient près de nous et discutaient fort entre eux.

– Emmène la fille ici ! tonna le plus éloigné des deux.

C'est à ce moment que je sentis une main agripper le dos de mon manteau et me tirer rudement vers le haut.

– Lève-toi et je ne veux pas entendre un seul mot ! me cria-t-il.

En me relevant aussi discrètement que possible, je m'aperçus que mon poing tenait fermement la tuque rose de maman. Du bout de son fusil, le braqueur m'indiqua une chaise le long du mur, à quelques sièges de ceux de la mère et de son bambin, pendant que l'autre s'éloigna derrière le comptoir pour aller voir ce qui se passait dans le coin de la banque.

Ça s'énervait de plus en plus autour de Marielle alors qu'à proximité, j'entendais les « chut…chut… » discrets de la mère. Le petit gars devait avoir trois ans maximum. Il semblait se calmer un peu lorsque l'agitation reprit de plus belle sous les hurlements de l'homme posté près de nous. Ce dernier souleva la visière de son casque brusquement en regardant au-dessus de nos têtes.

– Y A DES GENS QUI S'AMÈNENT ! criat-il soudainement, affolé. ILS SONT ARMÉS !

Je ne pus faire autrement que de tourner la tête, ce qui alerta doublement le voleur.

– J'AI DIT DE NE PAS BOUGER !

À ces mots, un coup de feu partit. La détonation retentit, tonitruante. Le cri du petit bonhomme rebondit dans l'écho du lieu. Des morceaux de plâtre tombèrent du plafond, me signalant que le braqueur avait tiré en l'air. La dame enceinte semblait secouée de tremblements quand je jetai furtivement un œil sur elle. Devant, je vis les deux autres voleurs poindre en courant derrière le comptoir.

– PRENDS LE PETIT ! cria l'un d'eux.

Le reste se déroula dans la cohue complète sans que j'aie le temps de réfléchir. L'homme cagoulé s'élança vers l'enfant qui s'agrippait à sa mère désormais en pleurs, une scène qui appela en moi un réflexe inexplicable. Sous le coup d'une impulsion insensée, je sautai d'un bond entre l'homme et l'enfant en tentant de protéger le petit garçon. La poussée du voleur me propulsa vers l'arrière. Deux chaises se renversèrent quand je tombai au sol avec fracas, ma tête cognant solidement un barreau de chaise.

– ALORS CE SERA TOI ! cria le même homme au moment d'agripper solidement mon manteau pour me faire bondir devant lui.

Mes gestes ne m'appartenaient plus. En deux secondes, je me retrouvai entourée de deux bras solides qui m'étouffaient presque. J'étais maintenant dos contre lui, son arme devant moi. Ce n'est qu'à ce moment que je vis, en face, derrière les vitres, trois hommes pointant leurs fusils de chasse en direction de la banque. Immobiles. Un quatrième arrivait au loin.

Pendant un moment, plus personne ne parla ni même ne cria. Seul le bambin continuait de pleurer. Si mon ravisseur ne m'avait pas tenue si fortement, je crois que mes genoux n'auraient jamais supporté mon poids. Quinze ans. J'étais trop jeune pour mourir, songeai-je.

Je ne voyais plus Marielle. Je ne l'entendais pas non plus. J'étais tétanisée par la peur. Les trois larrons étaient apparemment effrayés eux aussi. Quand ils se mirent à hurler tous ensemble, je réalisai en plus qu'ils n'étaient pas tous à jeun. Malgré la cohue qu'ils semaient, je compris aussi qu'ils avaient désormais l'intention de sortir de la banque en se servant de moi comme otage. Encore une fois, je n'eus pas le temps de réfléchir davantage.

L'homme derrière moi criait dans mon oreille jusqu'à m'en étourdir, me sommant d'avancer tranquillement. Mes pas épousèrent les siens pendant que, devant lui, l'un de ses complices ouvrait la porte pour nous frayer un chemin jusqu'à l'extérieur. Tout ce que je pouvais faire, c'était agripper solidement ma sordide tuque rose.

Le vent me gifla le visage.

– S'IL Y EN A UN, UN SEUL QUI BOUGE, JE TIRE!

Par réflexe, je fermai les yeux, ne sachant trop si c'était volontaire ou si je m'évanouissais. Mais je restais consciente. Et personne ne semblait bouger devant. Au moment où j'entendis les motoneiges démarrer, je me sentis poussée vers l'un des engins.

– GROUILLE! EMBARQUE! criait l'homme sans visage en m'indiquant de m'asseoir devant lui.

Il eut tôt fait de m'encercler avec ses bras d'acier. Les deux autres motoneigistes attendirent qu'on passe devant eux, pointant les villageois de leurs fusils. Sous l'impact du départ, je cognai cette fois le derrière de ma tête sur le casque de mon ravisseur. Tout allait plus mal que jamais.

Les deux autres filèrent derrière nous, nous dépassant toutefois rapidement pendant que j'essayais de glisser discrètement la tuque rose sur ma tête. J'osais à peine bouger. La neige me pinçait, le vent me mordait les joues.

J'entendis un coup de feu résonner au loin en arrière. Puis un autre plus loin. Nous allions à une vitesse inouïe. J'étais glacée sur place. Il m'était pratiquement impossible d'ouvrir les yeux. Un moment, je jetai un bref coup d'œil pour voir s'il serait pensable de me jeter en bas de la motoneige, mais j'en étais tout aussi terrifiée.

C'est le conducteur qui prit la décision à ma place. Les yeux toujours solidement fermés, je fus surprise de constater qu'il lâchait le gaz et totalement prise de court par sa solide poussée de côté. Mon corps tangua dangereusement, mais j'arrivais encore à me retenir à la manche de son manteau par la force de mon désespoir. Quand un deuxième coup me frappa, je lâchai prise.

C'est mon épaule droite qui atterrit la première au sol, sans trop de douleur cependant… Tout tournait à une vitesse ahurissante autour de moi. Je ne sais pas combien de tours sur moi-même j'ai fait dans la neige avant que ma course ne s'arrête enfin.

Je ne sais pas non plus combien de temps je suis restée ainsi, couchée au sol, yeux fermés, tentant de reprendre mes esprits. Malgré le froid, j'avais le front et un coude qui chauffaient. Quand je réalisai que les bruits de motoneige s'étaient évanouis dans le vaste espace blanc, j'ouvris légèrement les yeux. Je sentais que mes mains étaient complètement gelées. Mes mitaines étaient vraisemblablement restées sur le comptoir de la banque et Dieu seul sait où se trouvait désormais la tuque rose de maman.

Après je ne sais trop combien de minutes d'immobilité complète, je m'accroupis péniblement, testant du même coup si chacun de mes membres obéissaient encore à ma volonté. Tout fonctionnait. J'étais en un morceau. Ce n'est qu'en tentant de me relever que je sentis une douleur à ma cheville droite. Lancinante. Épuisée et étourdie, je m'assis sur un banc de neige. Et en levant la tête, je pus mesurer l'ampleur de la tempête.

Je ne voyais presque plus rien autour de moi. Autant j'étais soulagée de me retrouver enfin loin de mes ravisseurs, autant j'avais besoin de me tenir au chaud. Je tentai d'abord de remonter mon manteau sur ma tête et je soufflai à l'intérieur dans une manœuvre un peu désespérée. Je savais très bien qu'il me faudrait me relever pour essayer de retrouver mon chemin vers le village, mais la force n'y était plus.

Tout le scénario qui venait de se produire défilait dans mon esprit embrumé. Je sentis un sanglot monter en moi, mais le bruit qui sortit de ma bouche se changea en un long gémissement. Comme si les larmes demeuraient figées à l'intérieur de mon corps gelé et paniqué. Mon cœur s'anima de plus belle.

Même si j'étais assise, penaude, j'avais le souffle court. Je fis une autre tentative pour me lever, avec succès cette fois. J'essayai de marcher, de respirer, de me détendre. Je boitais, mais le mal me semblait moins fort que mon besoin de bouger, ne serait-ce que pour évacuer le vacarme sourd qui grondait en moi. Cependant, la douleur me rattrapa vite. Je me rassis rapidement et remis ma tête dans mon manteau, cherchant un brin de chaleur.

C'est à ce moment que j'entendis un bruit particulier dans le silence qui régnait curieusement au milieu de la tempête. En retirant la tête de mon abri de tissu, je baissai les yeux vers le son pour réaliser que c'était ma botte droite qui cognait sur celle de gauche… Sans que mon corps ne lui demande quoi que ce soit, ma jambe était secouée de violents tremblements. Je tentai de l'immobiliser, mais c'était peine perdue. Elle n'arrêtait plus de s'agiter.

J'essayais de la retenir à deux mains quand j'entendis un moteur de motoneige au loin. Puis d'autres. Ma panique reprit de plus belle, me signalant qu'il fallait absolument que je me lève et que je déguerpisse de là. Je mis quelques secondes à réaliser que les motoneiges arrivaient plutôt du village. Le premier homme à parvenir à ma hauteur arrêta son véhicule, faisant signe aux autres qui s'étaient immobilisés de poursuivre leur route.

– Ça va ! Allez-y ! leur cria-t-il parmi les bruits de moteurs.

Puis, se tournant vers moi :

– Est-ce que tout est correct, Laura ?

Je ne l'avais jamais vu de ma vie. Je le dévisageais. Perdue. Encore effrayée. L'homme comprit mon trouble.

– Mon nom est Justin. J'habite au village et je connais ton grand-père Mathias. On m'a indiqué qui tu étais… Rien de cassé ? Es-tu capable de te lever ?

Il semblait inquiet, mais demeurait calme, ce qui eut un effet apaisant sur moi. Il regardait maintenant les tremblements de ma jambe.

– Tout… tout va bien, bredouillai-je. Je crois que je me suis peut-être blessée un peu à la cheville, mais ma jambe ne me répond plus…

Il me sourit en s'asseyant à mes côtés.

– Ce sont les nerfs… Ce n'est rien… Appuie-toi sur moi… Comme ça…

L'homme retira soudainement son manteau, enleva son chandail de laine et l'enroula en bandeau sur ma tête. Il retira ensuite ses mitaines et me les enfila comme on le fait avec une enfant. Je l'écoutais à la lettre. À ses indications, j'embarquai derrière lui cette fois. Et je le serrai très fort quand nous quittâmes cet endroit de malheur. On n'avait fait qu'un petit bout de chemin quand une autre motoneige arriva. Celle de Justin s'immobilisa et les deux moteurs s'arrêtèrent. Je ne voyais toujours rien, mais je reconnus enfin une voix réconfortante. Celle de mon père.

23 décembre, 15 h 20

Ce n'est qu'une fois bien au chaud chez mes grands-parents que je repris réellement mes esprits.

Papa m'avait recouverte d'une lourde couverture de poil sur la motoneige de mon grand-père. Je devais la tenir bien en place. C'est le seul souvenir que je gardai de notre route jusqu'à la maison, mais j'avais encore en tête les visages troublés de maman, grand-maman, Thomas et Simon en m'accueillant.

On m'avait installée devant le foyer et, une fois de plus, on m'avait enterrée sous les couvertures. C'est maman qui avait pris les rênes. C'est elle qui avait enlevé mon manteau et mes bottes, qui avait remarqué que je grimaçais au toucher de mon pied droit et qui m'avait enfilé des bas de laine. Elle frottait mon dos désormais, pendant que Rocco tentait de sauter sur moi, retenu par Thomas.

La sonnette avait retenti trois fois depuis mon arrivée. J'entendais papi Mathias répondre aux gens que j'allais bien. Certains étaient entrés prendre un café. L'un d'eux avait retrouvé une tuque rose dans le champ… Tout le monde parlait dans la maisonnée.

En retrait, j'entendais des hommes expliquer ce qui s'était passé. Je compris que des gens du village avaient pris en chasse les malfaiteurs. Aux dernières nouvelles, les trois gars s'étaient barricadés à l'intérieur d'un chalet dans le bois et refusaient d'en sortir. Personne ne prenait de risque tant et aussi longtemps que les policiers ne seraient pas sur place pour prendre la relève. Mais c'était jour de tempête, plaidait l'un d'eux, comme pour s'excuser auprès de mon père du fait que la police ne soit pas encore là…

Je compris du même coup que Marielle en avait été quitte pour une peur bleue seulement. Même chose pour la dame et son enfant. Son mari avait néanmoins bravé la tempête pour la mener à l'hôpital, histoire de s'assurer que tout allait bien pour le poupon à naître malgré le choc nerveux. Quant au petit bonhomme, qui s'appelait Gabriel, appris-je, il était en sécurité chez ses grands-parents et s'en sortait mieux que ce que j'aurais cru.

Simon imitait les gestes de maman en me massant délicatement un bras, ce qui me décrocha un premier sourire. Il me chatouillait bien plus qu'il ne me réchauffait. C'était agaçant, mais je n'osais pas le repousser…

Thomas, lui, me fixait. C'est donc à mon jumeau que j'adressai mes premières paroles :

– Où avez-vous retrouvé Rocco ?

– Il était sur notre chemin quand nous sommes revenus du bois. On a écourté notre randonnée, avec la tempête qu'il faisait, et on l'a aperçu près de l'écurie. Il n'avait pas l'air sûr de lui… Mais on a mis ça sur le compte de la tempête et je suis allé le mener à la maison. C'est quand mamie l'a vu qu'elle a commencé à s'inquiéter. Papa a pris la motoneige de Mathias et est monté au village à ta recherche. Tu connais la suite…

– …

– Comment tu vas, Laura ? tenta mon frère.

– Ça va, hasardai-je. En fait, je ne sais pas trop comment je me sens… Sauf que je commence à avoir drôlement chaud, là… dis-je en tentant de me relever.

Ma cheville était douloureuse, mais tenait le coup.

– C'est juste une foulure, annonça mamie en observant le tout d'un œil d'experte. Essaie de demeurer tranquille… Veux-tu que je te fasse couler un bon bain chaud ?

Mon cauchemar commençait à s'estomper. L'idée du bain chaud me plaisait. Voyant mon sourire, elle se leva et se dirigea vers le deuxième étage, là où étaient situées toutes nos chambres et une immense salle de bain.

***

Je passai une bonne demi-heure dans l'eau, jusqu'à ce qu'elle devienne un peu trop tiède à mon goût. Je savais qu'en bas, on s'était retenu pour ne pas me questionner. Je n'avais d'ailleurs pas beaucoup de mots en tête pour leur expliquer ce qui venait de se produire.

Tout le monde était à la cuisine quand je revins dans le décor. Il n'y avait plus de villageois cette fois. Que la famille. Fidèle à ses habitudes, c'est Simon qui cassa la glace.

– As-tu eu peur, Laura ? questionna-il.

– Mets-en que j'ai eu peur, soufflai-je. Mais je t'avoue que tout ça s'est passé tellement rapidement. Je n'ai pas eu beaucoup de temps pour réaliser complètement ce qui se passait… J'avais peur pour le petit garçon et pour Marielle…

– Simon, je crois que Laura a eu son lot de bouleversements aujourd'hui… On va attendre un peu avant de la bombarder de questions, avisa mon père.

– Tiens, bois ça… intervint papi en déposant un petit verre entre mes mains.

– Papa, quand même! rouspéta mon père.

– Quand même quoi? Ça va la détendre. Laisse-moi faire. Ce n'est pas tous les jours qu'on est pris en otage, baptême!

Le liquide était très mauvais au goût, mais il était si chaud en descendant dans ma gorge qu'effectivement, la potion eut un effet bienfaisant sur moi.

– T'en veux un autre? s'enquit papi.

– Non, là ça va faire, intervint mon père.

Le silence était un peu lourd.

– Il y avait combien de méchants, Laura? tenta Simon de nouveau.

– Simon… Qu'est-ce qu'on a dit? chuchota maman.

Je sentais néanmoins qu'il fallait que je parle. Alors je tentai de leur raconter le tout, à une exception près. Je cachai le fait que les braqueurs avaient d'abord ciblé le garçon comme otage… Si ma mère avait su ce que j'avais fait, j'en aurais eu pour les vacances au complet à devoir la rassurer en lui promettant que jamais plus, je ne tenterais une manœuvre du genre…

Devant mon récit, ils étaient tous silencieux.

– Eh bien, lançai-je pour alléger l'atmosphère. Dommage que j'aie été au cœur de l'action. Ça m'aurait fait un fichu bon article !

– Ok, tout le monde, grommela ma mère, sourire en coin. Elle va mieux…

Et il est vrai que le fait de parler, ajouté au bain et à la potion magique de papi, avait été une bonne chose. Ne serait-ce que pour dissiper le malaise ambiant.

Les événements bouleversants avaient même eu pour effet de nous souder encore plus, je dirais, chacun promettant de ne plus mettre un pied en dehors de la maison jusqu'à ce que Dame Nature se calme les nerfs à son tour. Il n'y a que mon grand-père qui ne fit pas cette promesse et qui alla plutôt s'enquérir des nouvelles fraîches au village, à ce qu'il disait. Mais dans les faits, nous savions tous qu'il voulait se rendre sur les lieux du chalet, en motoneige, histoire de seconder ses amis du coin.

En attendant le souper, je retrouvai le confort de ma chambre, un havre de paix, et je parvins à m'assoupir. C'est Simon qui me réveilla une bonne heure plus tard pour aller manger. Papi venait d'arriver et nous apprit que les malfaiteurs étaient toujours barricadés dans le chalet et qu'ils avaient réclamé qu'on fasse appel à Bernard Johnson lui-même, journaliste bien connu qui avait l'habitude de se faire intermédiaire et médiateur dans des histoires du genre. Les policiers avaient la situation en mains et avaient demandé aux gens de s'éloigner un peu, par mesure de sécurité.

C'est à la télévision qu'on apprit la suite. La journaliste en ondes signalait qu'on avait bel et bien joint Bernard Johnson et qu'il était en route. Je n'en croyais pas mes oreilles !

Spontanément, je tournai mes yeux grands vers maman.

– Ohhhh, non… réagit-elle. Il n'en est pas question. Nous restons tous bien sagement ici. C'est ce que nous nous sommes promis, tu te souviens ?

Mes yeux étaient devenus suppliants quand ils se tournèrent vers papa.

– N'y pense même pas, laissa-t-il tomber, catégorique.

Même Thomas était cette fois de leur avis. Je lus dans ses yeux : « Ben là. T'es folle ou quoi ? »

Nous étions en pleine partie de cartes après le souper, histoire de nous changer les idées, quand la sonnette se fit entendre de nouveau.

– Elle va bien, elle va bien... grommela papi en se levant.

Au son de la voix à la porte d'entrée du salon, je reconnus Justin, mon sauveur, qui jasait avec mon grand-père.

En étirant mon cou, je vis toutefois qu'un autre homme attendait derrière, que papi fit entrer. Il enlevait sa tuque lorsque je le reconnus. Ma mâchoire se décrocha. Bernard Johnson était là. Sur le tapis de l'entrée. Dans la maison de mes grands-parents !

– Je ne serai pas trop long, disait-il à grand-papa en secouant ses pantalons et en enlevant ses bottes.

Mamie devint extrêmement nerveuse quand elle le reconnut à son tour et semblait tourner en rond en cherchant des pantoufles à lui offrir. Mes parents et Thomas avaient l'air ébahi eux aussi. Seul Simon était tout à fait concentré sur son jeu de cartes.

– Ben là, on joue plus ? disait-il sans que plus personne ne lui prête attention.

– Je suis vraiment désolé de vous déranger à cette heure, nota élégamment Bernard Johnson en intégrant la cuisine. J'aimerais parler à Laura, est-ce que vous me le permettez ?

Il connaissait mon nom ! Mieux ! Mon prénom ! Ma journée de cauchemar était en train de se

changer en miracle! Bernard Johnson lui-même...
J'en étais soufflée.

C'est papi qui nous sortit de notre égarement.

– Laura, est-ce que tu veux t'installer au salon?
me proposa-t-il avant de se tourner vers notre
invité en ajoutant:

-Vous y serez plus tranquilles...

En m'asseyant, j'avais beau être intimidée, ma
curiosité était encore plus grande. Bizarrement, c'est
moi qui posai la première question. Deux même...

– Avez-vous réussi à négocier avec eux? Est-
ce qu'ils sont sortis?

Même si Bernard Johnson était une véritable
vedette du journalisme et qu'il avait une prestance
qui ne m'avait pas échappé, il parlait simplement
et m'apparut drôlement gentil. Le directeur de
mon journal étudiant, Richard Dunn, nous avait
raconté qu'en pratiquant le métier, on se rendrait
compte rapidement que, parmi les personnalités
publiques, les plus grands étaient toujours les plus
simples. On dirait que la règle s'appliquait aussi
aux journalistes vedettes.

– Ils sont maintenant entre les mains des
policiers, sois sans crainte, me sourit-il. Mon nom
est Bernard Johnson. Je suis enchanté de faire ta
connaissance.

– Et moi donc...

Je m'en voulus d'avoir l'air aussi gaga.

– Laura, j'aimerais te parler un peu des événements de la journée... Avant de venir te voir, j'ai
discuté au téléphone avec Kathleen Fraser...

Il avait lancé ce nom comme si je savais de qui il s'agissait. Je sentis que je devais le lui signaler.

– Je ne la connais pas.

– C'est la dame qui était dans la banque, la mère du petit garçon…

– Ah… je vois. Elle va bien?

– Elle revenait de l'hôpital avec son mari quand j'ai discuté avec elle et se portait bien. C'est gentil de le demander. Mais dis-moi, cette dame m'a raconté que tu avais tenté de t'interposer entre l'un des braqueurs et son fils. C'est exact?

Inconsciemment, j'eus le réflexe de regarder autour de moi pour voir si quelqu'un l'avait entendu.

– C'est vrai, mais je ne l'ai pas dit encore à mes parents, lui chuchotai-je, mal à l'aise de l'entraîner ainsi dans mes cachotteries d'adolescente.

– C'est pourtant un grand geste que tu as fait là, reprit-il, plus bas. Dans les circonstances, je peux t'assurer que la plupart des gens auraient été soit paralysés sur place, pour se protéger d'abord, soit trop peureux pour tenter quoi que ce soit…

– Je ne sais pas du tout ce qui m'a pris. Je n'ai pas réfléchi. J'ai agi instinctivement, sur le coup de l'émotion…

Je m'excusais presque.

– Et c'est tout à ton honneur, souffla-t-il. Madame Fraser n'en revient pas de ce que tu as fait et je dois t'avouer que je suis aussi un peu épaté…

J'épatais Bernard Johnson maintenant. Je le pris comme une bonne blague.

– Est-ce que tu permets que je t'enregistre?

Non seulement j'avais du mal à imaginer qu'il s'intéresse à mon histoire, mais je réalisai d'emblée qu'il voulait, en fait, la publier.

– Heu… Vous voulez faire une entrevue, là ?

– Oui, pardon. Je suis journaliste au *Métropolitain*. Je vais écrire un article sur les événements de la journée.

Comme si je ne savais pas qu'il couvrait les plus grands événements du plus grand quotidien de notre province…

– Je sais qui vous êtes… Mais…

– Je ne suis pas obligé d'enregistrer, tu sais. Je peux tout simplement prendre des notes, observa-t-il en sortant maintenant son calepin.

– Non, en fait je suis un peu mal à l'aise… Avec tout le respect que je vous dois, je ne peux pas vous accorder d'entrevue.

Il me dévisagea, un peu interloqué.

– Habituellement, les gens qui refusent une entrevue sont ceux qui ont quelque chose à se reprocher, pas ceux qui ont brillé par leur courage…

J'en conclus qu'il me trouvait courageuse. Il était flatteur en plus…

Je me retrouvai néanmoins dans l'obligation de lui expliquer mes tâches dans la section étudiante qui était publiée chaque semaine dans *Le Courrier Belmont*.

– Je n'aimerais pas qu'on me retrouve à faire l'objet d'un article… Je suis supposée être spectatrice de l'actualité, comme dirait mon directeur de journal, pas m'y retrouver… Vous comprenez ?

Je ne pouvais pas croire que je me qualifiais de journaliste devant cet homme… Mais je ne pouvais pas non plus m'imaginer faire l'objet d'un article dans ce grand journal.

Il avait l'air aussi embêté que moi.

– Je vois… Mais il arrive parfois que des journalistes soient interviewés dans le cadre d'un événement dont ils ont été témoins, par exemple… Ton cas est particulier et mérite d'être connu, tu comprends ?

– Pas vraiment, non… Je trouve que je n'ai rien fait de particulier…

– Et pourtant, je t'assure que si. C'est parce que tu ne te rends pas compte… J'en ai rencontré beaucoup des gens dans des prises d'otage et, Laura, je trouve que tu as fait preuve d'un sang-froid qui sort de l'ordinaire. Quel âge as-tu ?

– Quinze ans.

– En plus ? On t'en donne dix-huit…

– Oh, le compliment… Ça, c'est une tactique de journaliste pour arriver à ses fins, hein ? Je la retiens !

J'aurais voulu rattraper mes paroles. C'est la spontanéité qui m'avait poussée à tenter de me dépêtrer ainsi, mais je m'en voulais déjà d'avoir été aussi familière avec lui. Misère.

Heureusement, mon vis-à-vis ne semblait toutefois pas en être offusqué. Il rigolait, même.

– Mais non, pas du tout… Il n'y a pas de tactique, je t'assure. Tu veux vraiment devenir journaliste ?

– Oui, beaucoup. Pour dire vrai, c'est ce que j'ai toujours désiré.

Il semblait réfléchir désormais.

– Journaliste… au *Métropolitain,* disons ?

Je rougissais maintenant.

. – Je ne sais pas si je vais être assez bonne pour ça un jour… C'est comme un rêve…

– En tous cas, il semble que tu aies certains traits de caractère, sourit Bernard Johnson. Il n'y a rien de plus difficile que de convaincre un journaliste de vous accorder une entrevue…

– Je suis désolée. J'aurais vraiment aimé vous aider. Mais je peux m'organiser avec mon grand-père pour vous présenter qui vous voulez au village. Il connaît vraiment tout le monde…

– Merci, nota-t-il. C'est très gentil, mais c'est l'héroïne du jour que je voulais interviewer et elle ne veut rien savoir de moi…

Devant mon hésitation et mon air hébété, il ajouta, en riant :

– Ça, c'était une tactique de journaliste.

Son clin d'œil m'aida cette fois à me détendre. Assez pour oser.

– Je peux vous poser une question ? lui demandai-je.

– Bien sûr.

– Si vous étiez dans ma situation. Est-ce que vous auriez accordé une entrevue ?

Il me toisa, vraisemblablement aux prises avec ses réflexions. Sa réponse n'en fut pas moins claire.

– Non.

J'appréciais sa franchise. Il lui aurait suffi de dire oui pour que mon opinion vacille. Il en était bien conscient et il avait répondu néanmoins contre ses intérêts.

– Par contre, ajouta-t-il, tu ne peux pas me demander de taire les propos de la mère du petit bonhomme, tu comprends ?

– Je comprends. Et si je vous avais demandé de ne pas l'écrire, vous l'auriez fait ?

– Non.

On souriait tous les deux quand mamie entra au salon avec un grand cabaret pour lui. Elle y avait déposé une petite assiette de fromages et de craquelins, un bol de raisins verts et une coupe de vin rouge.

– Oh, il ne fallait pas madame, intervint Bernard Johnson. Je ne vais pas vous déranger longtemps, je vais trouver un petit resto au village…

Mamie ne put s'empêcher de sourire.

– Mon cher monsieur, vous ne connaissez pas encore Vallée Station… C'est tout petit ici. Il n'y a aucun restaurant.

– Ah bon, et l'hôtel le plus proche, il est à combien de minutes d'ici ?

– Habituellement, il est à trente ou trente-cinq minutes, mais ce soir, j'ai bien peur qu'il vous faille faire deux heures de route.

À ces mots, Johnson regarda sa montre qui indiquait 21 h 15 et se leva aussitôt.

– Je vais devoir y aller dans ce cas. Mon article doit être rentré à 23 h 45 maximum et il me faudra au moins une heure pour l'écrire.

Une heure ? Il ne calculait qu'une heure pour écrire tout le récit de la journée ? C'était impossible !

Il parlait sûrement d'un tout petit article, bien sûr…

– Écoutez, reprit mamie. Nous en avons discuté et il nous ferait vraiment plaisir de vous héberger pour la nuit. J'ai déjà préparé le divan-lit de la salle de cinéma maison au sous-sol. Tout y est. Télévision, téléphone, bureau, connexion Internet, vous pourrez vous installer à votre aise.

Bernard Johnson dormirait ici ? Je rêvais…

– Je peux aussi lui prêter ma chambre mamie ! intervins-je.

– Vous êtes trop aimables toutes les deux, mais je ne peux pas profiter de votre générosité comme ça… Je vais réussir à me débrouiller.

– Mais… vous n'arriverez jamais à temps pour votre heure de tombée ! risquai-je.

Il regarda de nouveau sa montre.

– Allons, ne soyez pas timide. Puisque je vous dis que ça nous fait plaisir, ajouta mamie. Venez que je vous montre.

Je ne pus m'empêcher de les suivre comme un chien de poche. Bernard Johnson était là. C'était inouï.

Ma grand-mère lui offrit de venir nous rejoindre, une fois son article terminé, pour un thé et un goûter.

– Il sera trop tard, j'en ai bien peur…

– Tard ? Pas pour nous, du moins… Nous avons déjà commencé nos célébrations de Noël en famille. Nous ne sommes certainement pas couchés avant minuit, minuit et demi. D'ailleurs avec les événements de la journée, je crois que nous sommes tous encore un peu sur l'adrénaline…

23 décembre, 22 h 40

Quand Bernard Johnson apparut de nouveau dans notre cuisine, il était 22 h 40. Et il avait terminé son travail. Je ne pouvais le croire. Il avait mis une heure, tout au plus, pour rédiger son article et pour l'acheminer à son chef de pupitre… Il m'en aurait fallu le double, sinon le triple !

– Vous êtes vraiment très généreux de m'avoir accueilli, nota-t-il. J'avoue que j'étais un peu dans le pétrin…

– Qu'est-ce que vous auriez fait ? demandai-je.

– J'aurais écrit dans la voiture et j'aurais essayé de trouver un endroit où la connexion sans fil aurait fonctionné au village.

Papi sourit.

– Je ne veux pas vous faire de peine, mais c'était un peu désespéré comme manœuvre… On n'a même pas le câble à Vallée Station ! Nos installations Internet fonctionnent avec un système un peu particulier. Prenez chez nous, notre radio est installée sur le toit de la maison et pointe vers un émetteur qui est fixé au haut d'un silo à grains au village !

– Vous me faites marcher ?

– Même pas ! s'exclama papi.

Johnson riait de bon cœur maintenant. Il ne rouspéta pas non plus quand ma grand-mère plaça devant lui un bol de macaronis à la viande gratiné.

– C'est à la bonne franquette… s'excusait-elle.

Mais Johnson avait un air ravi.

– Je crois que si j'avais trouvé un resto, c'est exactement ce que j'aurais commandé un soir de tempête, mentit-il.

Mamie était aux anges.

– Alors, Laura. Où est-ce que je peux trouver tes articles ? Dis-moi donc… dit-il en se tournant vers moi.

Si j'avais pris une gorgée de jus à ce moment, je me serais étouffée dans mon verre.

– Heu… Monsieur Johnson, souris-je, Belmont est à deux heures d'ici et *Le Courrier Belmont* n'est distribué qu'aux gens de la place, c'est un petit journal… répondis-je, intimidée.

– Mais par bonheur, j'ai tous ses articles avec moi ! intervint soudain maman, contre toute attente.

– Quoi ?

Ma surprise était totale et embarrassée.

– Mais oui, Laura, tu ne penses pas que je n'allais pas montrer tout ça à mamie et papi ? fit-elle nonchalamment en se levant.

La panique me prit de nouveau. Cette fichue journée mettait réellement mes nerfs à l'épreuve. Quand elle passa devant moi, je posai sur elle de grands yeux rageurs qu'elle ne remarqua même pas. Elle se dirigeait plutôt fièrement vers l'escalier… Ce n'est pas vrai ! Elle n'allait pas me faire ça !

– Maman… Ne l'embête pas avec ça, je t'en prie, lui lançai-je le plus calmement possible, mais elle était déjà partie !

– Au contraire, je suis très intéressé. Je suis curieux de voir comment tu te débrouilles, ajouta Johnson en me lançant un clin d'œil rieur. On a des stagiaires chaque été au journal... T'en fais pas, j'ai l'habitude. Je sais bien que tu en es à tes débuts.

Maman redescendait déjà avec, dans ses mains, un grand cartable que je n'avais jamais vu de ma vie.

– Mais qu'est-ce que... lui dis-je en la dévisageant.

– Oh ça ? C'est mon scrapbooking ! sourit-elle.

Je n'arrivais pas à le croire. Ma mère avait découpé tous mes articles et les avaient tous insérés dans un grand cartable ! Je voulais glisser sous la table. Pire, quand elle ouvrit la première page, je vis qu'elle y avait ajouté aussi l'article relatant les événements de Simon avec la photo de moi dans la nacelle ! Je n'avais jamais eu aussi honte de ma vie ! Bernard Johnson semblait pour sa part satisfait...

Or, ce fut la seule fausse note car, jusqu'à minuit et demi, les conversations reprirent de manière tout à fait intéressante. Bernard Johnson était généreux et semblait même prendre plaisir à répondre à mes questions sur la profession. Il y allait avec une panoplie d'anecdotes et de trucs du métier... L'homme avait une expérience inouïe. Mes consœurs et confrères du journal ne me croiraient jamais ! Même le directeur Richard Dunn aurait probablement des doutes.

– La fille de *Twilight*, est-ce que vous l'avez déjà interviewée, elle ?

La question de Simon fit rire tout le monde. Depuis une demi-heure, je le regardais se débattre pour essayer de garder les yeux ouverts. Maman tentait de le convaincre d'aller se coucher, mais il ne voulait rien manquer. Et voilà qu'il se réveillait, le comique.

Le journaliste n'avait pas non plus interviewé Kirsten Dunst, apprit-on grâce aux questions avisées de mon frérot... En revanche, M. Johnson avait questionné plusieurs fois notre premier ministre, ce qui permit à mon père et à papi de discuter politique à leur goût, histoire d'achever Simon dont la tête était désormais tombée sur l'épaule de mamie, à ses côtés.

J'ai aussi appris que l'épouse de Bernard Johnson était Joyce Mc Mahon, éditorialiste au *Métropolitain*. Ils avaient même une fille de vingt-quatre ans qui faisait des études en psychiatrie.

– Elle s'appelle Holly et je peux vous assurer qu'elle adorerait votre maison et votre campagne ! Elle adore les chevaux elle aussi.

Thomas lui proposa, pour le lendemain matin, une visite de l'écurie, ce qu'il accepta avec un enthousiasme qui me surprit. Il voulait d'ailleurs prendre des photos pour Holly.

La soirée avait été magique. Elle était même parvenue à chasser de ma tête les événements de la journée. C'est dire. Par contre, je notai avec un certain effroi que Johnson avait apporté mon cartable avec lui avant de redescendre se coucher. Bordel.

En ouvrant un œil, je sentis que mon corps n'était pas aussi leste qu'à l'habitude… Il ne me fallut que quelques étirements pour m'apercevoir qu'il était complètement endolori. J'aurais joué une partie de football avec les gars de cinquième secondaire que je n'aurais pas été plus courbaturée…

Je luttais pour demeurer droite en descendant l'escalier pour rejoindre la cuisine. Bernard Johnson y discutait déjà avec mes parents, mes grands-parents et Thomas quand je me pointai à la table. J'avais pris soin de sauter dans la douche et de me vêtir convenablement, histoire de donner la meilleure impression qui soit… Je n'en revenais toujours pas ce matin de le voir assis là.

Dès qu'il m'aperçut, il commenta :

– J'ai lu tes articles hier… Impressionnant.

– Arrêtez… Je suis une débutante, je le sais bien…

– Mais non, je ne dis pas ça pour être gentil, je sais bien trop à quel point c'est important d'être bien dirigé en début de carrière…

Carrière… Wow…

– Ta plume est fluide. Ton esprit de synthèse est très bon. Mais surtout, tu as un style bien à toi. Je te le jure, je trouve que tu écris très bien. C'est clair en plus, bien dosé dans les informations que tu choisis. Habituellement, les débutants comme tu dis, ont tendance à vouloir trop en mettre pour montrer ce dont ils sont capables, mais tu ne tombes pas non plus dans ce piège-là…

– C'est vrai ?

Il mettait tellement de mots sur ses impressions que je commençais à penser qu'il pouvait peut-être être sérieux…

– Tout à fait. Les citations que tu prends, les descriptions que tu donnes, tout est bien équilibré. En plus, quand on te lit, on voit tout de suite les images de la scène que tu décris. C'est vraiment très bon.

Maman et mamie étaient gonflées de fierté.

– Merci. Merci beaucoup. Ça me touche vraiment ce que vous dites, lui soulignai-je.

Mais il n'en avait pas fini. Assise de biais à lui, il me semblait que je rougissais à vue d'œil…

– Le portrait que tu as fait du garçon qui se faisait intimider à l'école et qui s'est suicidé… C'était touchant, ça aussi, renchérit-il. J'ai aussi particulièrement aimé ta série d'articles sur le Grand Nord. Et sur le gars, là…

– Le beau Ian Mitchell… appuya Thomas, sourire en coin.

Bernard Johnson nota le sarcasme et sourit.

– Il est photographe de presse, lui, m'empressai-je d'intervenir.

– Je sais. J'ai vu ses photos. Très fort, ça aussi. Il va falloir que je dise à mon patron d'aller recruter du côté de Belmont !

La matinée était aussi plaisante que la fin de soirée, finalement. Mieux encore puisque la tempête avait cessé et que le soleil était éclatant dehors.

Quand M. Johnson quitta la maison vers 11 heures, tout le monde le salua et lui souhaita de faire bonne route comme s'il s'agissait d'un ami de la famille. L'élément le plus surprenant se produisit toutefois peu avant son départ, quand il me demanda mes coordonnées pour savoir où me joindre. Là encore, une vibration enthousiaste s'était levée autour de moi.

Ma mère ne se gêna d'ailleurs pas pour lui adresser un regard inquisiteur.

– Il se peut qu'un jour prochain, je fasse appel aux services de Laura, si vous n'y voyez pas d'inconvénients, annonça-t-il. Mais je dois faire quelques vérifications au journal d'abord…

Cette fois, c'est moi qui avais le visage en forme de point d'interrogation.

– Rien n'est sûr, Laura. Mais j'ai une petite idée en tête. Laisse-moi juste vérifier quelques trucs et je t'en redonne des nouvelles. Promis.

Je n'osais pas trop insister, mais il avait diablement piqué ma curiosité, et celle de toute la famille d'ailleurs. Il se rendit compte de sa bourde.

– Ce n'est rien… Pas grand-chose. Désolé, je ne peux pas vous en dire plus pour l'instant, mais d'une manière ou d'une autre, je vous appellerai, que ce soit positif ou négatif. Vous avez vraiment été des sauveurs pour moi hier soir, souriait-il maintenant pour changer de sujet.

Ce n'est qu'au moment où sa voiture quittait l'allée devant la maison que nous nous sommes tous regardés. Épatés.

– Eh bien, Laura, je crois que tu as fait grande impression! s'esclaffa papi. Bernard Johnson, quand même… soufflait-il en retournant à son café.

***

Mon grand-père était encore plus ébahi en revenant du magasin général, deux heures plus tard. Dans l'énervement de la matinée, personne n'avait pensé à aller acheter *Le Métropolitain*, qui était sous le bras de papi à son entrée.

Tout le monde était affairé à ses occupations. Maman emballait des cadeaux en cachette dans sa chambre, mamie et moi étions à la cuisine alors que Simon, Thomas et Rocco se trouvaient à l'écurie. Le réveillon s'annonçait encore une fois une grande partie de plaisir, j'en étais certaine.

La maison en pin de mes grands-parents avait un caractère chaleureux comme pas une, le sapin de Noël de mamie était somptueux et les odeurs qui embaumaient les lieux nous faisaient déjà saliver.

Nous avions toutefois un long moment à attendre pour voir nos cadeaux puisque ce n'est qu'après la messe de minuit que nous déballions le tout. J'adorais les manières à l'ancienne de mes grands-parents. Même mes amis à l'école m'enviaient quand je leur racontais nos Noëls « comme dans le temps ».

N'empêche que la première surprise de la journée n'était pas emballée. Elle était sous le bras de papi qui nous invitait à nous réunir une fois de plus à la cuisine.

– Allez, allez! criait-il. Vous allez voir que c'est moi le père Noël aujourd'hui! Où sont Thomas et Simon, donc?

Il attendit que papa aille les chercher à l'écurie avant de nous dévoiler sa surprise malgré l'insistance de mamie, maman et moi. Ce n'était pas dans ses habitudes, pourtant, de faire des mystères.

– Mathias, envoye donc, là…. chignait mamie.

– Mais attendez donc un peu, gang de curieuses! Ça ne vous fera pas mourir!

Simon et Thomas étaient enfin postés avec nous autour de la table quand il déposa le journal à la vue de tous. À la surprise générale, Vallée Station était en une du *Métropolitain*! «Prise d'otage à Vallée Station». C'était écrit en grosses lettres avec, sous le titre, une grande photo des trois voleurs qui venaient de quitter le chalet menottés et escortés par des policiers.

La stupeur générale reprit de plus belle quand papi lut à voix haute les articles signés Bernard Johnson, en page trois… Non seulement il avait eu le temps d'écrire un long article qui décrivait le déroulement du braquage de la veille, mais il avait eu aussi le temps d'en écrire un deuxième!

Dans le premier article, il n'avait pas nommé la «jeune fille de quinze ans de Belmont» qui était intervenue pour empêcher la prise d'otage d'un bambin de trois ans, écopant à sa place. Le récit des événements avait toutefois créé une sérieuse commotion au sein de la famille, qui comprenait désormais que j'avais un peu minimisé les faits...

Le second article était encore pire. En fait, c'est Kathleen Fraser qui avait précisé mon nom au grand complet, décrivant en détail mon «intervention» au comptoir de la banque... J'appris du coup qu'elle avait trente-et-un ans et qu'elle n'arrêtait plus de m'être reconnaissante. C'en était terriblement gênant...

– Au village, tout le monde ne parle que de ça! rigolait papi. Vallée Station dans *Le Métropolitain*, je n'avais jamais vu ça, batêche de batêche... Ça va être beau à la messe ce soir!

– Laura, je crois que tu devrais porter des lunettes fumées à l'église, niaisa Thomas, qui fit s'esclaffer tout le monde.

N'empêche que j'avais été heureuse de lire que les trois hommes étaient incarcérés et qu'ils le demeureraient sans doute jusqu'à leur procès. Je n'avais toutefois pas beaucoup aimé l'effet que ces articles avaient provoqué en moi. C'était comme une angoisse qui était remontée soudainement. Comme si le fait de lire ces événements noir sur blanc me faisait réaliser davantage ce qui était survenu. Seule maman avait semblé le remarquer et me demanda de venir dans sa chambre pour l'aider à emballer le dernier cadeau qui était trop gros, disait-elle.

Il n'était pas si gros, en fait. Elle avait plutôt voulu m'entraîner avec elle.

– Laura, c'est vrai que ce n'est pas banal ce qui est survenu hier. Si tu veux qu'on en parle, je suis là, disait-elle.

À ma grande surprise, elle ne me grondait même pas pour la témérité dont j'avais fait preuve dans cette banque…

– Merci maman, mais je ne sais pas vraiment quoi en dire… Ce matin, quand j'ai ouvert les yeux, je me suis demandé si c'était un cauchemar que j'avais fait cette nuit ou si ça s'était réellement passé… C'était comme ça. Comme un cauchemar. Avec le cœur qui débat et les images qui se suivent sans que tu comprennes vraiment tout ce qui se passe. Et ce n'est pas vrai que j'ai su quoi faire dans les circonstances. Quand les gars sont entrés dans la banque, j'étais complètement figée moi aussi. Je ne me souviens même pas de m'être allongée par terre. Je me souviens juste du froid du sol sur ma joue et des deux grosses bottes noires que je voyais près de ma face. J'avais tellement peur…

Ce n'est qu'à ce moment que je sentis l'émotion m'envahir. Je me retrouvai bêtement les larmes aux yeux cette fois. Étonnée.

– Viens ici, poulette…

Ma mère me serra fort dans ses bras. Je crois que c'est sa tendresse qui accentua les choses. Des sanglots montaient par secousses cette fois.

– Pleure un bon coup, c'est ça qu'il faut, chuchotait ma mère en flattant mes cheveux.

– Excuse-moi, je ne sais pas ce qui se passe, essayais-je de lui dire entre deux hoquets.

Elle resserra encore son étreinte.

– Laisse-toi aller. Tu veux que je te dise? Ça me rassure de te voir pleurer, disait-elle. Je trouvais curieux que ce ne soit pas encore arrivé. Mieux vaut maintenant qu'au pied du sapin en train de déballer ton cadeau! Il est tellement beau ton cadeau…

Je riais et je pleurais en même temps maintenant. Et plus j'essayais d'arrêter de sangloter comme une idiote, plus ça me reprenait. Nous devons bien avoir mis une heure comme ça, dans sa chambre, à emballer zéro cadeau…

24 décembre, 23 h 45

D'une année à l'autre, je restais toujours surprise de constater comment, dans ces petites campagnes, les gens étaient tissés serrés, incluant le curé. Ce dernier ne manqua d'ailleurs pas de revenir sur les événements de la veille, en fin de messe, de sorte qu'au sortir de l'église, papi me présentait à tout un chacun. J'avais l'impression que ça n'en finirait jamais, d'autant plus que nous avions tous hâte de retrouver le sapin de Noël chargé de cadeaux !

Je fus toutefois touchée par les bons vœux de Marielle, qui racontait les événements aux membres de ma famille, quand je sentis tirer sur la manche de mon manteau. À mes pieds, un petit chou de trois ans répétait des « merci Laura », des mots qui lui étaient dictés par sa mère, tout sourire à ses côtés.

De revoir ainsi le petit Gabriel et la dame enceinte me chavira le cœur à nouveau. Elle avait dans les mains un splendide paquet cadeau débordant de chocolats fins.

– Je me doutais bien que je te verrais ici… dit-elle en me tendant le paquet. On n'a pas vraiment eu le temps de se présenter, mon nom est Kathleen Fraser.

– Bonsoir, moi c'est Laura… Le cadeau, ce n'était vraiment pas nécessaire…

– Au contraire. J'espère que tu as la dent sucrée… C'est de toute la famille.

– Merci madame. C'était déjà trop gentil les mots que vous avez dit sur moi dans le journal ce matin, ça me gêne…

– Ben voyons, on s'est connu dans des moments pas mal plus embarrassants que ça, non ? souriait-elle. En s'avançant, elle me souhaita un très doux : « Joyeux Noël Laura ».

Nous étions tous un peu ébranlés sur le chemin du retour, sauf Simon, qui faisait le clown dans la voiture, trop excité à l'idée d'ouvrir ses cadeaux.

À onze ans, Simon ne croyait plus au père Noël, ce qui nous évitait enfin la mascarade des années passées alors qu'il fallait imaginer un scénario invraisemblable pour camoufler l'absence de papi. Mais encore, il fallait patienter une bonne heure avant qu'il ne se pointe dans le salon tout de rouge vêtu et toujours un peu trop bourru sous sa barbe blanche. Chaque fois, Thomas et moi, nous nous demandions immanquablement comment diable nous avions pu y croire pendant huit ans !

C'est bien sûr à Simon qu'on offrit le premier cadeau, un présent qui le fit rayonner. Il avait écarquillé grand les yeux en découvrant l'ensemble d'escrime que papi et mamie avaient choisi pour lui, avec l'épée et tout. Depuis qu'il avait commencé ses cours, il y a quelques mois, il s'en était fait un puissant dada.

Tout le monde avait été choyé cette année. Mes grands-parents avaient été particulièrement bien éclairés en ce qui me concernait. En ouvrant la boîte, je fus épatée de découvrir l'ensemble de bureau qui m'était dédié.

– C'est ton kit de journaliste… avait cru bon d'expliquer mamie, ravie de voir s'éclairer mon visage.

Il y avait un stylo argent que j'avais déjà peur de perdre… Puis un étui en cuir noir qui pouvait contenir mes feuilles de notes et, enfin, un sac assorti, histoire de regrouper toutes mes affaires : stylo, étui, petit enregistreur, tout. J'aurais drôlement fière allure avec ça.

– On dirait Bernadette Johnson ! avait réagi Simon.

Habituellement, nous gardions toujours un cadeau pour le lendemain matin, histoire de faire durer le plaisir. En général, il s'agissait d'un petit cadeau bonus, une petite surprise toute simple, qui avait juste le don de nous remettre dans l'ambiance de Noël pour la journée du 25 décembre. Mais cette fois-ci, ce serait différent, avait expliqué mon père. Du moins en ce qui concernait Thomas et moi.

– Car cette année, nous vous offrons un seul cadeau pour vous deux, avait ajouté ma mère, mystérieuse.

Thomas et moi n'avions vraiment aucune idée de ce qu'ils avaient manigancé.

Je reçus quand même un cadeau bonus plus tard, au moment de me retrouver devant l'ordinateur de la salle de cinéma-maison qui avait servi à loger M. Johnson la veille. Mes grands-parents le mettaient à notre disposition, conscients que nous ne pouvions pas nous passer longtemps d'Internet.

Secrètement, j'espérais que ce soir, j'aurais un courriel de Ian Mitchell. Et mon cadeau était arrivé…

« Laura ! Mais qu'est-ce que tu fous ? T'en profites pendant mon absence pour faire l'actualité

maintenant ? C'est moi ton photographe attitré, tu sauras… Tu ne peux pas me faire ça ! La une du Métropolitain ! »

Oh non… Mais comment pouvait-il être si branché, lui, dans son Grand Nord perdu ?…

« *Blague à part, j'ai été atterré de lire ce qu'il t'était arrivé… On dirait bien que ce voyage en Alaska est en train de me faire rater tous les événements qui m'auraient fait me retrouver près de toi dans les moments de grands remous… Dans le nord, ce n'est rien comparé à la vie que tu mènes, faut croire !!!*

Tu dois absolument m'écrire ce soir… Je n'arrête pas de penser à ce que tu as pu vivre dans cette fichue banque. Es-tu réellement correcte comme on l'indique dans le journal ? Je n'arrête plus d'y penser depuis que ma sœur m'a envoyé le lien pour m'informer de ce qui t'arrivait. Euh… oui, je lui ai parlé de notre rencontre en fait… Je lui ai dit que je m'étais fait une nouvelle amie très précieuse…

Je ne pensais toutefois pas que mon amie précieuse m'offrirait ce genre de nouvelle-choc en cadeau de Noël, hein ? J'ose espérer que tu vas m'offrir un plus beau cadeau dans ton courriel…

C'est magnifique, Noël en Alaska, mais c'est un peu nostalgique aussi… Faudrait bien célébrer Noël ensemble l'an prochain. Qu'en dirais-tu ? C'est fou comme j'aurais le goût de te voir ce soir…

Joyeux Noël, défenderesse-de-bambin-en-plein-braquage-de-banque… J'espère que tu as retrouvé ton superbe sourire ce soir. Si tu fais des cauchemars, organise-toi donc pour je sois dedans, au moins… Je pourrais être le héros qui atterrit sur le toit d'une banque, qui te sauve et qui t'entraîne très loin de tout souci, mettons… Tu vois ce que la mer me fait?

Je t'envoie néanmoins un vrai baiser en pensée… C'est Noël après tout?

Mitch »

J'avais le cœur à la renverse. Ian Mitchell avait l'habitude d'user de plus de retenue dans ses courriels, or celui-ci était assez explicite, ma foi… J'avais beau essayer de me convaincre par tous les moyens qu'un garçon de vingt ans ne pouvait pas vraiment s'intéresser à une adolescente de quinze ans, il ne laissait plus beaucoup de place au doute cette fois.

Je m'exécutai donc.

« *Joyeux Noël, cher ami précieux… Je suis désolée de ne pas t'avoir contacté avant que tu apprennes ma mésaventure sur Internet. J'ai toujours l'impression que tu n'es pas sur la même planète que nous dans ton Alaska…*

Je ne vais pas te raconter ce que tu as déjà lu, car Bernard Johnson a déjà tout écrit en détail… Trop gênant tout ça… Par contre, j'ai un scoop juste pour toi… Tu ne me croiras même pas! Et c'est pourtant la pure vérité…

Alors voici. Hier soir, après les événements, Bernard Johnson s'est pointé chez mes grands-parents et il s'est fait prendre par la tempête, ce qui a eu pour effet… qu'il a dormi ici! Je te jure. Nous avons placoté pendant une bonne partie de la soirée! Et encore ce matin!

Pire que ça, il doit me recontacter! Il dit qu'il aurait peut-être recours à mes services! Je sais bien que tout ça est plutôt incroyable, mais on dirait que les astres s'alignent autour de moi, pour le meilleur et pour le pire… Ne crains pas… Mon petit doigt me dit qu'il y aura d'autres événements où tu seras présent… Pour prendre des photos, bien sûr.

Mon cadeau maintenant: une promesse. Celle de célébrer Noël à tes côtés l'an prochain, s'il s'avère que ce soit encore ton vœu une fois rendu là, évidemment. Mais à cette promesse, il y a une condition toutefois. Il faudrait que tu acceptes de partager un bout de campagne avec moi… Je ne crois pas pouvoir me passer d'un Noël chez mes grands-parents de sitôt… Mais c'est moins loin que le Grand Nord, non? Tout cela pour dire que j'attends ton retour le 15 janvier le cœur joyeux.

PS: Comme tu peux le voir, je vais très bien malgré les événements…

Laura-qui-pense-très-fort-à-toi »

Et j'essayai de rêver.

– Laura… Laura… Réveille-toi…

– Hein… ?

– Réveille-toi Laura, c'est Zoé au téléphone…

Dans la brume matinale, ma mère se tenait debout à côté de mon lit, le combiné tendu vers moi. J'obéis…

– Zoé ?

– Joyeux Noël, Laura !

La voix de ma meilleure amie fit le travail. À ces trois seuls mots, j'étais complètement réveillée et assise bien droite dans mon lit.

– Zoé, c'est fou ce que je suis contente de te parler. T'es donc ben fine de m'appeler ! Les courriels, c'était pas assez. Je m'ennuie de toi, tsé…

– C'est vrai ? Ben c'est pas ce que dit le journal en tous cas… rigolait-elle au bout du fil. Depuis quand tu tournes des scènes de cinéma sans moi, toi ?

– Oh… Zoé…

Décidément, tout le monde était au courant de mes mésaventures.

Et évidemment, mon amie exigea des détails. Il me fallut tout reprendre depuis le début… Or, contrairement à la veille avec maman, les émotions étaient enfin retombées. Je relatais plutôt les événements comme on raconte un film qu'on a vu la veille.

De son côté, Zoé n'arrêtait plus de s'exclamer au téléphone. Elle me faisait rire avec tous ses commentaires même si je commençais à être sérieusement tannée de me faire parler de tout cela… Ce n'est qu'au bout de vingt-cinq minutes que je parvins enfin à détourner son attention, et pas avec n'importe quel sujet d'ailleurs…

Zoé m'avait fait part du souper en tête-à-tête qu'elle avait eu avec mon frère Thomas le mois précédent. Lui ne m'en avait toutefois soufflé aucun mot, sinon que Zoé était «la fille la plus drôle qu'il connaisse». Celle-ci m'avait bel et bien confirmé son solide béguin pour Thomas, mais elle doutait que ce soit réciproque…

Mon frère s'était comporté en véritable gentleman. Le contraire m'aurait surprise… Il avait été charmant, disait Zoé, attentif, gentil, plaisant, tout. La soirée avait été des plus agréables, en compris-je des deux côtés, mais la grande question persistait. Est-ce que Thomas s'intéressait réellement à Zoé? Comme elle le souhaitait du moins…

– Est-ce que t'as eu des nouvelles de mon frère? lui demandai-je.

– Non… C'est mauvais signe, hein Laura?

À sa voix, je savais qu'elle en était troublée. Elle l'était depuis un long mois déjà, même plus… Thomas avait continué à la voir ici et là, à l'école, mais sans plus. Comme si rien ne s'était passé.

– Ce n'est pas nécessairement mauvais signe… mais j'avoue que c'est un peu bizarre.

Je savais que ça ne la rassurerait pas, mais je ne voulais pas lui mentir non plus…

– Ton Ian, toi, il t'écrit presqu'à chaque jour. C'est ça qu'on fait quand on est amoureux, non? en rajouta-t-elle.

– Wo wo, je ne sais pas plus que toi s'il est amoureux… Et si jamais il y avait une relation entre Thomas et toi, disons qu'elle risquerait d'être pas mal moins compliquée que la mienne… Mes parents ne verraient vraiment pas d'un bon œil que le tout premier garçon que je ramène à la maison ait vingt ans… D'ailleurs, je dois t'avouer que je le trouve un peu intense. Autant il me fait rêver avec ses plans d'avenir, autant parfois, ça m'inquiète…

Au fait, je ne sais vraiment pas ce qui m'a pris de l'inviter ici l'an prochain. Comme si je pouvais parvenir à les convaincre qu'il ne se passerait rien entre nous…

Zoé continuait à parler…

– Non ? répétait-elle.

– Pardon, qu'est-ce que tu dis ?

– Je dis que je ne te crois pas quand tu essaies de me persuader que Thomas ne t'a rien dit. Tu veux me protéger, c'est ça ?

– Mais non, pas du tout… Je t'assure. Il ne me dit rien !

– Impossible, il te dit toujours tout, ton super jumeau !

– C'est vrai, mais pas cette fois-ci. D'ailleurs je te signale que moi aussi je lui ai toujours tout dit, mais qu'il ne sait rien de moi concernant Ian Mitchell… S'il ne se passait vraiment rien, il m'en parlerait, me semble… C'est louche.

– Mais vous êtes pareils tous les deux… Tu dois bien savoir ce qui se passe dans sa merveilleuse petite tête brune ?

– On a beau être pareils, on a tout de même une différence de taille… Je te rappelle que c'est un gars, Zoé…

– Et puis, les gars sont des attardés ou quoi ?

Elle ne lâcherait pas le morceau.

– Ce n'est pas ce que j'ai dit… Écoute, pour être tout à fait honnête, je commence à croire ce qu'on dit quand on nous répète que les filles de notre âge sont en avance sur les gars… Tu sais comment on peut s'amouracher facilement, nous autres ? Lui, on dirait qu'il ne pense pas à ça… C'est l'effet que ça me fait, du moins. Il me parle plus de chevaux que de filles en tous cas.

– Rrrg. T'as vu comme ce n'est pas bête de reluquer un gars de vingt ans ? C'est toi qui l'as l'affaire !

– Arrête. Je n'ai jamais cherché à reluquer un gars de vingt ans… Il m'est tombé dessus, tu veux dire… Depuis ce temps-là que j'essaie de me faire croire que je ne suis pas amoureuse de lui. Ce n'est pas si drôle que ça, mon affaire… Je peux te le jurer ! Attends un peu, ça cogne à ma porte. Oui ?

Quand on parle du loup… Thomas venait d'entrer. À le voir, il était levé depuis un bon moment, lui.

– Excuse-moi, mais on est attendu tous les deux en bas dans dix minutes, dit-il. Tu te souviens qu'il y a une petite surprise qui nous attend ?

– Oui, je termine avec Zoé et je descends… Mais au fait, j'avais pas mal terminé. Tu veux lui parler ?

– Zoé ? Heu… Bien sûr…

Il était encore une fois devenu nerveux tout à coup. Je le connaissais bien assez tout de même pour savoir qu'il y avait assurément quelque chose qui le stressait avec mon amie…

– Zoé ? Je vais devoir te laisser maintenant, mais je t'embrasse. J'ai super hâte de te voir.

– C'est Thomas ça, hein ? Il est avec toi ?

– C'est ça oui. Écoute, mon frère est à côté de moi et il veut te dire un mot… Je te souhaite un très joyeux Noël ! À bientôt !

En prenant le combiné, Thomas ne parlait pas. Il me regardait plutôt le regarder.

– T'as pas une douche à prendre, toi ? me dit-il…

– Euh… oui… bonne idée.

La seule chose que j'entendis en sortant de la chambre fut son éclat de rire suivi de :

– Non, non, pas toi la douche… Je parlais à ma sœur…

***

J'étais bel et bien au poste dans le salon dix minutes plus tard. Pas Thomas.

– Il est où, lui… Pas encore à l'écurie, j'espère ? demanda ma mère.

– Mais non, je crois qu'il est au téléphone avec Zoé.

– Zoé ? Encore ? Tu ne vas pas me dire que vous avez parlé tout ce temps-là ?

– Oui…

– Mais ça va lui coûter une petite fortune !

– Possible…

Papa était déjà parti chercher Thomas, qui redescendait avec un curieux sourire flanqué au visage. Je crois bien qu'il évitait mon regard, d'ailleurs… Mais bon, l'heure était aux réjouissances. Je dirais même qu'il y avait une fébrilité anormale dans l'air. Et pourtant personne ne parlait.

– Et on attend quoi, là ? demandai-je.

– Ton grand-père, indiqua papa. Il a téléphoné, il est supposé être ici d'une minute à l'autre.

– Et tu crois qu'il nous en voudrait vraiment si nous ouvrions notre cadeau sans lui ? notai-je.

– Ben… disons qu'on n'a pas le choix, c'est lui qui l'a, votre cadeau, ajouta ma mère alors que les autres riaient en silence.

– Misère, c'est bien mystérieux votre affaire ! lança Thomas.

Mais papa avait dit vrai. On entendait désormais le camion de papi dans la cour. J'étais nerveuse tout à coup.

– Ok vous deux, vous fermez les yeux ! s'exclama mamie.

– Ben voyons…

Encore une fois, on avait réagi à l'unisson Thomas et moi.

– Ce n'est pas une blague. Vous fermez les yeux maintenant ! répéta mamie.

Les yeux fermés, j'entendis la porte s'ouvrir. Puis la voix de mon grand-père qui chuchotait. Et des rires étouffés, complices.

– À 3, vous pourrez regarder, scanda ma mère. 1… 2… 3 !

Quand je vis la petite boule de poil toute blonde dans les bras de papi, le choc fut complet. En une seconde, mes joues prirent en feu, mon menton se mit à vibrer et mes yeux s'inondèrent complètement.

Je ne bougeais pas pendant que Thomas, lui, était fou de joie. Il avait déjà le chiot dans ses bras que j'étais encore à me débattre avec mes émotions. Ça devait bien faire dix ans qu'on essayait de convaincre ma mère d'avoir un chien ! Et voilà que je sanglotais comme une imbécile, incapable d'aller le chercher normalement. Quand je compris que je ne pouvais plus me cacher, je levai les yeux et vis que je n'étais pas la seule à avoir les yeux mouillés.

– Mais arrête, Laura, tu les fais tous brailler, s'impatientait Simon. Et moi, il va être un peu à moi aussi ?

– On te le prête quand tu veux ! blagua Thomas. Tu peux même l'emmener dans ta maison, riait-il.

– Oh, arrête de me niaiser ! rouspéta Simon, qui ne fit ni une ni deux. Il prit le bébé chien et me l'apporta.

Mes larmes tombaient dans son poil tout doux! Le pitou me regardait. Un golden tout blond. Il était si calme! Je l'adorais!

– Vous allez l'appeler comment? questionna Simon, toujours aussi terre-à-terre.

– Attends un peu, je ne sais même pas si c'est un mâle ou une femelle, rigolai-je.

– C'est une petite femelle, nota ma mère, en approchant avec précaution. Elle vient du même éleveur que Rocco... C'était la seule manière de me rassurer, disons...

Au moment où elle mettait la main sur sa petite tête blonde, je sus qu'elle tomberait raide amoureuse elle aussi. Je déposai Pitoune dans les mains de Simon et je sautai au cou de ma mère. Ce matin de Noël, je m'en souviendrais toute ma vie. Je le savais.

Évidemment, outre Simon qui cherchait à mettre tous les hommes de la maison en duel avec son épée, c'est notre nouvelle venue qui attira toute l'attention et qui n'arrêtait plus de nous faire rire. Elle était magnifique. Et dormeuse en plus! Il faut dire que Rocco n'y était pas étranger... Il en était drôle. Il faisait attention à elle comme un vieux sage alors que Pitoune ne se gênait pas pour lui sauter dessus à qui mieux-mieux jusqu'à l'épuisement, mordillant même ses oreilles. Par deux fois, il avait émis un petit son.

– C'est dangereux? m'enquis-je aussitôt auprès de papi.

– Mais non. Il va lui montrer les bonnes manières… Ça se parle, ces chiens-là !

– Tu me fais marcher…

– Non c'est la vérité. Et ça s'imite en plus ! Tu verras bien… En deux semaines, Rocco va faire d'elle une petite chienne adorable. Elle va prendre exemple sur lui.

Et c'est exactement ce qui arriva. Pendant les deux semaines suivantes, Joy (nous l'avions finalement baptisée Joy) suivait Rocco partout. Elle était douce, terriblement comique, enjouée et calme en même temps. Elle avait séduit tout le monde. Ma mère incluse !

Il était difficile de quitter mes grands-parents pour le retour à la maison. La situation se répétait tous les ans, mais on dirait que cette année avait été encore plus… particulière. Intense, à tout le moins. Le samedi soir, à la veille de notre départ, on avait tous un peu le vague à l'âme, attroupés au salon devant un match de hockey, quand le téléphone sonna sur les coups de 20 heures.

Mon père était demandé. Il fila à la cuisine avec l'appareil, pour en revenir rapidement, un peu hébété.

– C'était Bernard Johnson…

– Hein ?

Cette fois, c'est ma mère, papi et moi qui avions réagi ensemble.

– Il veut nous rencontrer tous les trois ce lundi 3 janvier… Il serait à notre maison vers 14 heures… Est-ce que ça vous va ?

– Mais ça va bien lui prendre quatre heures de route ! nota ma mère.

– C'est ce que je lui ai dit, mais ça ne semblait pas être un problème pour lui, dit-il, songeur.

– Qu'est-ce qu'il a dit ? m'enquis-je nerveusement.

– Il a seulement dit ça, en plus de me souhaiter une bonne année…

– Tu ne lui as pas demandé pourquoi il voulait nous rencontrer ? protestai-je.

– Non, nous le saurons bien assez vite.

– Papa !

– Écoute, Laura, s'il avait voulu m'en dire plus, il l'aurait fait au téléphone. S'il fait quatre heures de route, c'est certainement qu'il préfère nous parler de visu…

– Ton père a raison, Laura… acquiesça maman. On en aura le cœur net lundi. Patience, ce n'est que dans deux jours…

DEUXIÈME PARTIE

Lundi 3 janvier, 14 heures

Je n'avais fait que penser à cela pendant les deux heures de route qui nous avaient ramenés à Belmont le dimanche. Heureusement que Zoé et Joy avaient été là pour me changer les idées à mon retour à la maison, car j'en aurais fait une vraie obsession. Je tentais autant que possible de me rappeler ses mots quand il avait quitté la maison de mes grands-parents en disant que ce n'était pas grand-chose… Mais il ne faisait quand même pas tout ce trajet pour des peccadilles !

Ce jour-là, ce n'est pas la sonnette qui retentit à 14 heures, mais bien le téléphone. Il accusait un petit retard d'une vingtaine de minutes qui me parurent interminables. En fait, on était tous un peu nerveux papa, maman, Thomas et moi pendant que Simon avait entrepris de donner ses premiers cours d'obéissance à Joy au salon. Je n'en pouvais plus d'entendre des « assis », « non… », « donne la patte… », « noon… », « va chercher ! », « ici… », « nooon… »

– Arrête, Simon, tu vas la rendre folle, intervint enfin papa.

– Il est en train de me rendre folle aussi, murmurai-je.

C'est avec un certain soulagement que l'on accueillit M. Johnson à 14 h 25. Son calme me fit grand bien.

– Je tenais à vous rencontrer tous les trois parce que ce que j'ai à proposer à Laura est important et je veux bien m'assurer que si mon idée vous intéresse, vous serez tous d'accord. Il est bien clair qu'à l'heure où on se parle, ce n'est qu'un projet. Libre à vous d'accepter ou pas. Et si c'est non, ce ne sera pas grave non plus.

Thomas s'était éclipsé en douce par discrétion alors que nous étions tout ouïe quand Bernard Johnson nous raconta son histoire depuis le début. L'an dernier, il avait reçu un message sur sa boîte vocale. Il s'agissait d'une dame, la mère d'une élève du collège Fisher, un collège privé réservé aux filles situé à vingt minutes de chez lui, dans la grande ville de Bradshaw.

Cette femme avait clairement observé que sa fille avait changé d'attitude radicalement depuis qu'elle avait intégré la troupe de théâtre de cette école. Elle décrivait cette troupe comme une véritable secte et avait des doutes sur son professeur et les exercices qu'il leur faisait faire.

La mère se plaignait également du directeur du collège, qui se butait à conserver une confiance aveugle en son professeur. Elle avait tenté de parler à l'enseignant lui-même, mais en vain. Elle voulait désormais que Bernard Johnson fasse une investigation au sein de cette troupe, mais sa fille refusait obstinément de parler au journaliste, sinon pour lui dire que sa mère s'imaginait toujours un paquet de trucs. Et il était vrai que la dame, une mère monoparentale, semblait avoir quelques penchants hystériques, avait noté le journaliste. Elle lui faisait notamment remarquer que toutes les jeunes filles retenues en auditions étaient jolies.

Johnson avait proposé le tout au directeur de son journal qui n'embarquait guère dans cette histoire. Trop peu d'éléments pour y accorder un temps précieux. Le journaliste avait donc effectué quelques recherches de son cru, ne serait-ce que pour éliminer tout soupçon dans son esprit. Il n'avait trouvé que quelques éléments anodins, sinon qu'effectivement, les jeunes filles recrutées étaient jolies, ce à quoi il avait ajouté une nouvelle observation, soit qu'elles provenaient pour la plupart de familles bien nanties, mais néanmoins dysfonctionnelles.

Il avait même assisté à une représentation publique de la troupe, fort convaincante. Les jeunes filles avaient interprété une tragédie grecque avec une intensité hors du commun. Selon les informations recueillies, la marque de commerce de cette troupe était d'ailleurs son excellence à incarner les sphères troubles et les grandes tragédies du genre.

C'est toutefois à cette période, l'an dernier, qu'avait éclaté un scandale concernant des pots de vins qui avait éclaboussé royalement le gouvernement. Bernard Johnson était non seulement l'instigateur de cette bombe dans le monde de l'information, mais il était le journaliste attitré à cette cause, ce qui l'avait retenu quelques mois à temps plein. Cet épisode avait été suivi d'une absence du journal de quelques semaines à la suite du décès de sa mère. Avec de si minces éléments, il avait relégué cette histoire de collège privé au second rang de ses priorités.

Jusqu'à ce qu'en novembre dernier, sa fille Holly, stagiaire en psychiatrie, l'interpelle sur le cas d'une patiente qu'elle tentait de réhabiliter. Il s'agissait d'une jeune fille de quinze ans qui avait tenté de se suicider et qui s'était retrouvée en psychiatrie dans un piteux état. Le hic, c'est qu'elle appartenait elle aussi à la troupe du collège privé dont il avait déjà été question. Le deuxième hic, c'est qu'elle délirait et qu'elle était convaincue qu'elle avait frayé avec le diable, rien de moins.

Depuis novembre, Bernard Johnson avait tenté de sonder encore davantage l'avenue de cette troupe, mais force était de reconnaître que le groupe, aussi bien que le collège, étaient effectivement des lieux très hermétiques. Son insistance lui avait même valu quelques démêlés avec la direction. Il en était venu à imaginer que la seule manière d'en savoir plus sur les agissements qui se produisaient au sein de ce groupe serait de recueillir des informations auprès des jeunes étudiantes qui en faisaient partie. Cet exercice avait été un échec total. Ces jeunes filles étaient d'une discrétion sans faille. Un peu trop à son goût d'ailleurs.

Au *Métropolitain*, on commençait toutefois à trouver la piste intéressante. Le directeur de l'information avait même soumis à Bernard Johnson l'idée de tenter d'intégrer une jeune fille complice dans cette troupe, le temps d'une session seulement.

– Nous n'avons encore aucun élément en notre possession qui puisse nous amener à interpeller les policiers sur ce dossier. J'ai discuté avec les autorités en ce sens et, selon eux, il n'y a pas matière à ouvrir une enquête. La fille du directeur de police elle-même fréquente cet établissement et la réputation du collège est très bonne, soupirait-il.

Mes parents commençaient à gigoter un peu sur leur chaise de cuisine. C'est ce moment que ma mère choisit pour se lever et préparer une collation. Mon père avait l'œil suspicieux alors que de mon côté, j'étais figée sur place.

Dès que ma mère fut rassise, Bernard Johnson alla droit au but cette fois, confirmant nos soupçons. Il demandait s'il était possible de faire appel à mes services pour infiltrer la troupe. La direction du journal était d'accord et offrait plusieurs avantages.

– Nous avons besoin d'une jeune fille de quinze ans qui est équilibrée, qui a un véritable sang-froid, qui est allumée et qui est jolie. Quand j'ai rencontré Laura à Vallée Station, j'ai trouvé qu'elle avait tout à fait le profil recherché. Mais ce qui m'a interpellé encore davantage, ce sont ses articles… Laura sera assurément un très bon élément dans le métier qu'elle a choisi. J'en ai vu plusieurs, croyez-moi, et elle a tous les atouts pour devenir journaliste.

– Je ne vois pas le lien entre la troupe de théâtre et le métier qu'elle rêve d'exercer, nota mon père, qui s'était un peu rembruni.

– Si Laura accepte de nous aider, mon patron accepte de l'aider à son tour dans son cheminement professionnel. Elle serait d'abord assurée d'avoir un stage d'été à ses dix-huit ans dans notre salle de rédaction. Il y a des centaines de candidats par année, vous savez, pour six postes seulement… Et entre-temps, comme notre entreprise verse déjà annuellement des bourses d'études supérieures de 3000 $, nous vous offrons également de lui en remettre une chaque année, jusqu'à ce qu'elle ait terminé ses études supérieures.

Tout allait à la vitesse du son dans mon cerveau. J'avais peine à rester en place maintenant. Ma mère me toisait d'un œil réprobateur que je n'aimais guère… Mon père fixait sévèrement sa tasse.

– Vous réalisez ce que vous nous demandez? questionna-t-il à brûle-pourpoint. Si vous avez des soupçons sur cette troupe et qu'il s'y passe réellement des trucs malsains, vous pensez que nous accepterions d'exposer notre fille à cette situation?

Une pointe de colère filtrait dans son ton.

– Je vous comprends totalement, monsieur St-Pierre, tempéra Bernard Johnson. Évidemment, je m'attendais à cette réaction, mais dites-vous bien que nous ne prenons jamais de risques indus et ce, pour tous nos journalistes.

Il avait bien dit « nos journalistes » !

– Sauf que cette fois-ci, c'est une enfant, répliqua mon père.

Il avait bien dit « une enfant »…

– Je sais, mais laissez-moi d'abord vous expliquer un peu notre plan. Laura habiterait chez nous, avec mon épouse et moi, pendant tout le temps nécessaire. Nous l'encadrerions de manière très serrée, soyez-en assurés. Chaque soir, elle pourrait nous parler de ce dont elle a été témoin, mais surtout de ce qu'elle vit dans la troupe. À la première chose douteuse qu'elle nous révélera, si chose douteuse il y a bien sûr, nous allons l'équiper. Nous avons parfois recours à une puce qui agit comme un GPS. Ça se dissimule aisément et ça nous indique à tout moment où notre personne se trouve. Et si nous avions matière à le faire, nous lui fournirions une mini-caméra cachée pour filmer le tout et nous dissimulerions sur elle un bouton panique pour qu'elle puisse nous alerter à tout moment en cas de besoin. Nous disposons de plusieurs outils technologiques en ce sens, de sorte que nous pourrions suivre aisément ce qui se passe dans le groupe. Il ne peut rien arriver. Nous la soutiendrons en permanence.

– Et s'il s'avérait que vos soupçons soient faux ? S'il ne se passe rien de mal au sein de la troupe… Qu'est-ce qui se produirait pour Laura ? questionna ma mère.

J'en conclus qu'elle, au moins, envisageait l'affaire…

– Rien, observa Bernard Johnson. Nous nous donnons une session pour faire le travail. Si nous n'avons aucun élément pendant cette période, nous laissons tomber cette enquête. Laura retourne à son école l'an prochain pour sa cinquième secondaire et tous les avantages dont je vous ai parlé tantôt demeurent. C'est notre risque à nous. Si nous nous trompons, nous aurons tout simplement une nouvelle stagiaire fort prometteuse chez nous dans trois ans, sourit-il, et Laura bénéficiera d'une série de bourses qui l'aideront à poursuivre ses études supérieures sans tracas.

De mon point de vue, j'avais l'impression que mes deux parents n'étaient pas intéressés par son offre et qu'ils continuaient de l'écouter par simple politesse, ce qui m'atterrait complètement. Ce que Bernard Johnson proposait me faisait rêver au plus haut point. L'expérience, une vraie enquête, le stage d'été au *Métropolitain* (!), les bourses d'études, jamais de ma vie je n'aurais même pu oser imaginer qu'il puisse m'arriver autant de belles choses ! En fait, la seule ombre dans ce tableau, était de devoir m'éloigner pendant quelques mois. M'éloigner de ma famille, de mes amies, de mon journal, de Ian…

– Si jamais ça fonctionnait, intervins-je soudainement, ça débuterait quand ?

– Les cours recommencent le 17 janvier. On s'organiserait donc pour te faire inscrire en fonction de cette date. Les délais sont rapides, mais ils sont réalisables.

– Et qui nous dit qu'elle serait admise au collège ? Et dans la troupe de théâtre ?

– Pour le collège, il arrive souvent que des jeunes déménagent et changent d'école en cours d'année scolaire. Le fait que nous soyons au début d'une nouvelle session facilite les choses. Je suis d'ailleurs à peu près certain que le dossier scolaire de Laura lui permettra d'entrer à cette école sans problème. Je me trompe ?

– Non, répondirent mes parents dans un même souffle.

– C'est pour la troupe de théâtre qu'il va falloir travailler plus fort, poursuivit M. Johnson. Je me suis informé, il n'y a que deux places à combler pour la prochaine session et les auditions ont été fixées au mercredi 19 janvier. On va jouer le tout pour le tout. Mon épouse connaît plusieurs comédiens professionnels, elle en trouvera un pour préparer l'audition de Laura. Pour la suite, il ne nous restera qu'à nous croiser les doigts. Si elle ne passe pas l'audition, on pourra toujours la réintégrer dans son ancienne école la semaine suivante. Si c'était le cas, l'offre pour le stage d'été tiendrait toujours, mais pas les bourses, j'espère que vous comprenez… Nous pouvons signer tout cela sur contrat, évidemment.

– Vous avez réponse à tout, sourit faiblement mon père.

– J'y songe depuis ma nuit chez vos parents à Vallée Station, observa-t-il. J'ai une fille, moi aussi.

J'ai réfléchi pour vous offrir un plan que j'aurais accepté si je m'étais retrouvé dans vos souliers et que j'avais eu à prendre cette décision pour l'avenir d'Holly.

– Vous me dites que vous auriez accepté ça, vous ? Sérieusement ?

– Holly est excellente dans son domaine et je crois qu'elle a vraiment trouvé sa voie. Elle est brillante et prometteuse en psychiatrie, mais honnêtement, elle n'a pas les mêmes talents et les mêmes intérêts que Laura. Elle n'aurait pas eu les atouts pour ce genre de trucs, souriait-il.

– Mais si ça avait été le cas ? Vous auriez accepté ? insista ma mère.

– Si ça l'avait intéressée et que j'aurais pensé qu'elle était la personne pour le faire, j'aurais accepté, effectivement. Mais je comprends bien que c'aurait été plus facile pour moi. Je connais nos méthodes d'investigation, je connais notre sérieux et notre souci. Je sais très bien comment nous travaillons et comment nous le faisons d'une manière sécuritaire. Pour vous, il est plus difficile de nous faire confiance complètement, j'imagine.

– Non, vous n'imaginez pas… souffla ma mère.

Je savais que si j'intervenais, je risquais de braquer mes parents contre l'idée… Je n'osais rien dire, sinon par le biais de mes yeux, qui s'agrandissaient à chaque phrase mentionnée par mon nouveau « mentor » Bernard Johnson ! J'étais furieusement en mode solution. Comment convaincre mes parents de me laisser tenter cette chance inouïe ?

Le reste de la conversation entre mes parents et le journaliste se déroula normalement. Certaines questions plus anodines avaient été mises sur la table, mais Bernard Johnson avait réponse à tout, comme disait papa. Il demandait d'ailleurs à mes parents de ne pas lui répondre tout de suite.

– Parlez-en entre vous d'abord. Je suis conscient qu'il y a plusieurs éléments en jeu et que ça nécessite une véritable réflexion. Malheureusement, nous n'avons pas énormément de temps non plus. Je vous demande simplement de réfléchir à tout cela à tête reposée et de me recontacter d'ici jeudi au plus tard. Je me charge de tout le reste, incluant son inscription et son transport. Toutefois, je comprendrais très bien que vous vouliez voir le lieu où elle demeurerait alors, si vous souhaitez venir la mener vous-mêmes chez nous, il nous ferait grand plaisir, à mon épouse et moi, de vous recevoir à la maison ce soir-là pour un souper. Vous pourriez rencontrer ma femme et ce serait de mon côté une heureuse manière de vous retourner l'ascenseur.

Il était difficile de ne pas aimer cet homme. Il était doté d'une simplicité sympathique doublée d'une élégance distinguée qui imposait le respect. Je sentais le bagage d'expérience qu'il avait et je trouvais qu'il parlait avec une éloquence admirable. Je m'inspirerais certainement de lui si j'avais la chance de réaliser cette expérience rêvée. À le côtoyer, j'en apprendrais certainement autant, sinon plus, que dans la salle de rédaction de mon école.

En refermant la porte derrière lui et en remarquant mes grands yeux anxieux, mon père fut catégorique.

– Laura, j'espère que tu as prévu aller voir Zoé parce que ta mère et moi avons beaucoup de choses à discuter avant d'en parler avec toi… avisa-t-il.

C'était sans appel, je le savais.

– Est-ce que je peux au moins te dire à quel point ça m'intéresse ?

– Ça, on le sait déjà, figure-toi… sourit ma mère.

– Mais…

– Laura, on s'en reparle ce soir, c'est promis, appuya doucement mon père. Je te demande de patienter quelques heures seulement.

– Je sais, je sais. Je veux juste vous dire que si je passe à côté de cette occasion rêvée, je crois que je vais avoir des regrets toute ma vie…

Bernard Johnson avait quitté la maison à 16 h 30 et j'avais téléphoné Zoé en catastrophe pour qu'elle accompagne la fille en perdition que j'étais jusqu'à 20 heures. C'est le rendez-vous que mes parents m'avaient fixé, me laissant suffisamment d'argent pour que Zoé et moi trouvions un petit restaurant à partager entre-temps…

J'avais confié le tout à mon amie, ce qui avait eu pour effet que nous n'avions parlé que de ce projet ce soir-là, de manière même un peu frénétique, je dirais.

À mon retour à la maison, à 20 heures, j'étais terriblement anxieuse et je m'attendais au pire. Assis au salon, mes parents semblaient cependant plus calmes qu'en après-midi. C'est mon père que je fixai en premier lieu. À son sourire en coin, je constatai qu'il y avait bel et bien un espoir.

Vendredi 14 janvier, 20 heures

Il avait fallu deux autres coups de téléphone à Bernard Johnson pour que mes parents s'assurent de mille et un détails. À cela s'était ajoutée une longue conversation entre eux et moi, qui s'était étirée jusqu'à 23 heures, après quoi, ils avaient encore demandé une nuit de réflexion avant que le verdict positif ne tombe le lendemain matin. Leur «oui» avait moyenné 43 mises en garde et 56 promesses de ma part, toutes orientées sur la sécurité à prioriser.

Les deux semaines suivantes, tout s'était mis à tournoyer autour et en moi. J'étais dans un état d'excitation et de vertige important. Les bonnes nouvelles tombèrent toutefois les unes après les autres. D'abord, il y avait eu ce coup de fil de Bernard Johnson, qui confirma que mon inscription au Collège Fisher était chose faite, puis un échange de courriels entre mes parents et lui pour s'assurer que l'entente était scellée avec toutes les conditions établies, et fixée sur contrat.

Tout cela se passait au-dessus de ma tête qui, elle, penchait tantôt vers une douce frénésie en pensant au mandat qui m'était confié et aux opportunités que cela me procurait, tantôt vers une mélancolie bien sentie à l'idée de revoir Ian un soir seulement, avant qu'une autre absence de quelques mois nous sépare à nouveau. J'en étais à me demander si le destin ne cherchait pas à nous éloigner...

Il arrivait le lendemain matin, samedi, et prendrait la première moitié de journée pour atterrir chez lui et pour aller voir sa famille après quoi nous avions convenu qu'il viendrait me chercher à 16 heures à l'école. Zoé avait accepté de me couvrir auprès de mes parents, qui pensaient que je passerais la soirée avec elle. J'avais le cœur chagrin de leur mentir de la sorte mais, parmi tous les scénarios envisagés, c'était le seul qui m'assurait que je verrais bien Ian Mitchell ce soir-là et que personne ne viendrait nous barrer la route. Ce rendez-vous était pour moi un incontournable et me rendait tout aussi nerveuse que ma mission au Collège Fisher, sinon plus…

Zoé était étendue sur mon lit et jacassait sans arrêt pendant que je préparais mes valises, consciente que le lendemain serait consacré au retour de celui qui avait sérieusement kidnappé mon cœur et que le dimanche marquait mon départ pour la grande ville de Bradshaw.

– Qu'est-ce que tu as fait, toi, pour que ta vie soit aussi palpitante, espèce de chanceuse ? bougonnait Zoé…

– Palpitante peut-être mais, Zoé, tu trouves que je suis chanceuse, toi ? J'attends le retour de Ian Mitchell depuis des mois et il fallait que cette offre de Bernard Johnson occasionne mon départ au lendemain de son retour ! Peut-on trouver plus malheureuse coïncidence ?

– Euh… oui. Certainement, protesta Zoé. Imagine un peu que ton départ pour Bradshaw ait été prévu pour aujourd'hui, ou pour hier ?

– Ben là, aurait fallu être malchanceuse en Jupiter !

– Laura St-Pierre, je t'avertis, avec tout ce qui t'arrive présentement, je ne te permettrai pas une seule minute d'apitoiement.

Zoé n'était pas fille jalouse, loin de là, mais je savais très bien que mon départ l'affectait plus encore qu'elle ne le laissait paraître. Depuis que nous nous étions connues, à l'âge de huit ans, nous n'avions jamais été séparées aussi longtemps et j'avoue que sa présence me manquerait sérieusement aussi.

– Mais je suis curieuse, qu'est-ce que tu vas faire si, comme je le pense, Ian Mitchell est amoureux de toi? questionna-t-elle. Tu vas le présenter à tes parents?

– Arrête, Zoé. Il ne peut pas réellement être amoureux de moi, il ne m'a vue que deux fois!

– À ce que je sache, toi aussi tu ne l'as vu que deux fois et pourtant... Et il y a eu tous ces courriels. Laura, tu ne vas pas me dire qu'avec tout ce qu'il t'a écrit, tu penses qu'il est indifférent?

– Je ne sais vraiment plus quoi penser, à part qu'il a vingt ans...

– C'est son âge qui t'effraie?

– Un peu... Mets-toi à ma place... Il doit en avoir connu des filles, et moi, rien. Il va s'attendre à beaucoup plus que ce que je suis capable de lui offrir et je dois t'avouer que je ne me sens pas tout à fait prête... S'il est juste tombé en amitié avec moi, ça va me faire de la peine, je ne te le cache pas, mais ça faciliterait les choses. S'il veut plus de ma part, je suis vraiment dans le trouble.

J'avais changé trois fois de coiffure, pour finalement laisser retomber mes cheveux librement sur mes épaules en oubliant la tresse, la couette ou la fichue barrette. J'avais revêtu sept tenues différentes avant d'opter, en désespoir de cause, pour la simplicité et le confort. Un jeans et un chandail gris clair de la même couleur que mes yeux anxieux.

J'avais pris la peine d'arriver au lieu du rendez-vous quinze minutes d'avance pour m'assurer de bien respirer mais, à 15 h 50, j'avais vu avec émoi son Jeep bleu tourner le coin de la rue et s'avancer. Mon cœur battait à une allure folle lorsque le véhicule s'arrêta droit devant moi. Il a presque fallu que je me pince pour avancer et ouvrir enfin la porte, laissant apparaître un Ian Mitchell à la peau basanée, ce qui donnait encore plus d'éclat à ses cheveux blonds cendrés et à son regard vert intense pas possible.

Je ne pus m'empêcher de sourire nerveusement en le regardant alors que de son côté, il avait l'air un peu grave, et sans mot. Je brisai la glace gauchement.

– On est un peu tôt pour le resto, non ?

Son sourire se dessina largement.

– C'est tout ce que tu trouves à me dire après tous les kilomètres que j'ai faits pour venir te retrouver ?

– Tu es revenu pour payer ton loyer, avoue…

Cette fois, il éclata d'un rire franc.

– Viens ici… dit-il en prenant ma main et en m'attirant vers lui.

Malgré la position incongrue, il trouva le tour de m'enlacer complètement. Ma tête atterrit quelque part dans son cou où ça sentait bon, où il faisait chaud et où ses cheveux fins et fous me chatouillaient le nez. C'est la pression qu'il exerça dans mon dos pour que mon corps tout entier rejoigne complètement le sien qui me fit entrer dans une mer d'émotions échevelées. Une seule chose s'était dissipée illico : le doute. Non seulement j'étais folle de Ian Mitchell, mais il ne laissait pas non plus de place à l'ambiguïté de son côté.

– Ce moment, j'en rêve depuis des mois, Laura St-Pierre, souffla-t-il, le visage collé sur mes cheveux, faisant déferler en moi un tremblement de terre entièrement constitué de frissons.

J'avais les joues en feu et les yeux en flammes, je crois, quand il relâcha enfin son étreinte pour me regarder.

– Mais qu'est-ce que tu m'as fait ? nota-t-il en me fixant.

Son regard était à peine soutenable. Ses lèvres étaient à ma portée et je ne pus m'empêcher d'y glisser un œil avant de relever courageusement la tête. Si je n'avais pas été assise, je sais pertinemment que je me serais écroulée sur place. Mes genoux n'auraient jamais pu me soutenir dans cet état second qui me troublait l'esprit jusqu'à en oublier totalement les mots qu'il attendait peut-être, je ne sais trop. Or, comme je ne disais rien, paralysée par les folles sensations qui m'assaillaient de toutes parts, il me sourit calmement.

– Il est trop tôt pour le resto, effectivement. J'ai réservé pour 18 heures, murmura-t-il à deux pouces de mon nez. J'ai pensé… Enfin… J'aimerais bien que tu voies mon appart, ce n'est pas très loin d'ici…

Celle-là, je ne l'avais pas vue venir… J'étais estomaquée, hésitante, troublée, presque apeurée.

– Écoute, je vais être clair avec toi, Laura. Je sais très bien que mon âge te dérange, mais je ne veux jamais que tu aies peur de moi. Je te jure, je te jure solennellement, dit-il en levant les bras soudainement, que je ne ferai rien, absolument rien de… de… de ce que j'ai envie! observa-t-il dans un éclat de rire contagieux.

Les choses se bousculaient comme je ne l'avais pas cru possible. En quelques minutes, Ian m'avait fait part de ses sentiments et de son propre trouble tout en clarifiant ses intentions pour ne pas m'effrayer. Et tout cela en trouvant le tour de blaguer et en faisant jaillir en moi un émoi qui m'habitait entièrement et qui ne semblait plus vouloir me quitter.

– Tu as raison, finis-je par avouer. Ton âge me fait terriblement peur et tes attentes aussi…

Il tenait désormais mes mains dans les siennes.

– Je le sais.

– Tu te rappelles aussi que j'ai quinze ans?

– Je m'en souviens trop bien. Au fait, à quelle date as-tu prévu avoir tes seize ans? rigola-t-il.

Il avait un humour subtil qui me rejoignait complètement et qui me faisait sourire à tout coup, en plus de dédramatiser les situations.

– Le 16 mai…

– Oh, ce sera ton année chanceuse alors ?

– Euh, t'as raison. Je n'y avais pas pensé…

– Je te promets que je me chargerai de te le rappeler ! badinait-il encore, tout en sous-entendus.

Je riais de bon cœur, mais je riais jaune, un peu. Il nota aussitôt ma contradiction.

– Laura, souffla-t-il en tentant de reprendre son sérieux. Je sais que tu as quinze ans, même si à te regarder, j'ai de la difficulté à le croire… T'aurais pas ton certificat de naissance sur toi, au fait ?

Mon rire éclata dans son auto et se mêla au sien, avant qu'il refasse une autre tentative de sérieux, avec plus de succès cette fois.

– Je sais que tu as quinze ans, puisque tu le dis… répéta-t-il. Mais tout ce que je veux, c'est passer du bon temps avec toi. Tout ce que je souhaite, c'est que tu sois là, tout près. Je veux parler avec toi. Je veux tout connaître, tes goûts, tes ambitions, tes intérêts, tes idées, tes anecdotes incroyables ! Tes expériences d'otage… Pour le reste, laissons simplement aller les choses et je te jure de ne rien hâter. C'est promis. Mais tu dois aussi me promettre une chose…

– Si je le peux, je vais le faire…

– Je veux que jamais tu n'aies peur de moi. Est-ce qu'on se comprend bien ?

Je ne répondais pas. Parce que je ne savais absolument pas quoi lui répondre.

– Disons les choses autrement, reprit-il. Tu peux venir chez moi sans crainte. Je ne ferai jamais rien qui puisse te bousculer. Tu peux me faire confiance. Je suis un gars patient. Trrrrès patient, appuya-t-il. Mais je ne pourrai pas me comporter normalement avec toi si, à tout moment, j'ai peur de te faire peur. Tu saisis ?

– En fait, je n'ai pas réellement peur de toi… hasardai-je.

– Bonne nouvelle ! De quoi as-tu peur alors ?

La question était bonne. Très bonne. Elle demanda un moment de réflexion qui me transporta jusqu'à une vérité qui sortit de ma bouche spontanément.

– J'ai peur de moi…

Il accusa le coup et me regarda fixement, un large sourire surpris. Son regard était joyeux. Complice. Rieur. Je vis son visage avancer vers moi, ses yeux dans les miens, puis son recul soudain.

– Ok. Bon, je reformule alors. Je sais me tenir, mais honnêtement, je ne suis pas assez fort pour nous contrôler tous les deux alors s'il te plaît, ne me fais plus jamais peur comme ça, veux-tu ?

En un rien de temps, il avait renversé la situation, si bien que nous rigolions joyeusement quand il démarra son Jeep. Nous avions mis moins de quinze minutes pour éclaircir un brin notre situation, juste assez pour que la complicité puisse reprendre entre nous librement.

Samedi 15 janvier, 17 h 15

Ian Mitchell avait le don de me mettre à l'aise avec un humour qui ne ressemblait à rien de ce que j'avais connu. Avec lui, j'avais l'impression de découvrir un autre langage. Un langage rempli de subtilités et de sous-entendus qui me parlaient terriblement. Comme si je saisissais les pensées qu'il me transmettait par ses regards, bien au-delà des mots. Et quand il rigolait de me voir saisir toutes les nuances dont il me gratifiait, je comprenais qu'il était aussi étonné que moi de constater que la communication non verbale était aussi facile entre nous.

– Tu es une petite vite, Laura St-Pierre, me lança-t-il en ouvrant la porte de son appartement.

Le lieu était très propre, mais la décoration était un peu… absente, je dirais. Ainsi donc, Ian Mitchell n'avait pas toutes les qualités… Il avait toutefois celle de ne pas vouloir plaire à tout prix. Il me faisait visiter son appartement sans se soucier le moindrement de ce que j'en pensais, bien plus affairé à me fixer à tout moment.

Dans l'embrasure de la porte de sa chambre, il souriait en continuant de scruter mes réactions.

– C'est d'ici que je vais t'écrire avec mon portable, dit-il en désignant son lit, pendant que mademoiselle va jouer les enquêteuses loin de moi… Ça te va ? Tu vas pouvoir imaginer la scène ? rigola-t-il. Ordinairement, j'écris toujours nu dans mon lit.

Je ne pus m'empêcher cette fois de lui balancer une claque sur le bras en rebroussant chemin pour aller m'asseoir dans son salon. Lui fila vers la cuisine.

– Est-ce que je peux t'offrir une coupe de vin ? Une bière ? Un scotch ? Qu'est-ce qui te soûlerait, donc ? badinait-il en fouillant dans son frigo…

– Tu as du jus ?

– Euh… oui, mais ce soir nous célébrons nos retrouvailles, je te signale. Laisse-moi te concocter ma recette. Je vais y aller doucement, c'est promis. Je ne te dévergonderai pas avec ça…

Je le vis prendre une bouteille de boisson et du jus d'orange. Il ne versa qu'une larme de boisson et remplit le verre de jus avant de me le tendre et de s'asseoir à mes côtés. C'était vraiment délicieux.

– Qu'est ce que c'est ? demandai-je.

– Ça s'appelle un « Uppercut ». Le petit goût, c'est de l'Amaretto, m'informa-t-il, en posant son portable sur nos genoux avant de faire défiler ses multiples photos, plus épatantes les unes que les autres.

Il me décrivait son périple en mer avec enthousiasme. À plusieurs reprises, j'en perdis néanmoins quelques bouts, préférant le regarder parler avec, toujours, cette passion pour son métier qui me fascinait. Quand il se retournait, il était si près de moi que je sentais son souffle dans mes cheveux. J'osais à peine relever la tête quand il s'adressait à moi, mes yeux rivés sur l'écran de peur de croiser son regard, ou ses lèvres.

Il devina probablement l'astuce puisque soudain, il cessa de parler. Il ne changeait plus de photo non plus sur son ordinateur. Je n'eus d'autre choix que de relever la tête et de rencontrer ses yeux rieurs. Je ne disais rien non plus. Nos visages se parlaient bien amplement. Je ne sais pas combien de minutes nous sommes demeurés ainsi. C'était comme si une puissance supérieure avait arrêté le temps. Mon trouble était trop grand. J'ai fermé les yeux et j'ai senti sa main effleurer mes cheveux, très doucement.

– Regarde-moi, souffla-t-il.

C'était sans appel. Quand je m'exécutai, il me souriait, à quelques pouces de mon nez.

– Il est 18 h 05… chuchota-t-il.

Ce qui me réveilla soudainement.

– Oh boy. On est en retard. Faut y aller, répondis-je en trouvant je ne sais où la force de me redresser.

Mais il bloqua mon mouvement en prenant mes hanches pour me ramener de nouveau vers lui. Je retombai lourdement à ses côtés.

– Attends un peu, soufflait-il encore. On est trop bien, là… fit-il, tête penchée vers moi, en collant cette fois son front sur le mien.

Le silence reprit de plus belle. Un silence lourd de sens et pourtant si doux à la fois. Il déposa un baiser sur mon front en relevant sa fabuleuse tête blonde, et reprit son manège.

– Regarde-moi, Laura…

C'était encore sans appel. J'obéissais comme une idiote, suivant ses paroles comme si j'avais été hypnotisée par un fascinateur.

– Notre restaurant thaïlandais, là… murmura-t-il.

– Hum, hum ?

– Il livre à domicile…

Si on se faisait livrer la nourriture à son appartement, le danger était imminent. Mais j'étais si engourdie que j'avais peine à refuser son offre. Il lisait mon trouble.

– Tu nous vois, toi, dans un restaurant ?

Son observation me fit rire. Il se redressa soudainement et ouvrit le téléviseur qui s'éclaira sur une quelconque émission de chasse.

– T'as quoi contre ça, toi, un gars qui veut écouter une émission de chasse en ta compagnie ? Comment veux-tu qu'on sache ce qu'il adviendra de ce lièvre dans un restaurant ? questionna-t-il, le plus sérieusement du monde.

– Bon ok, rigolai-je. Vas-y, commande… J'ai trop faim pour discuter.

Je n'eus pas à le lui dire deux fois. En une seconde et demie, il fouillait dans des dépliants qui reposaient près de son téléphone. Même si j'avais changé d'avis, il aurait été trop tard. Ian Mitchell était déjà en grande conversation avec la réceptionniste du restaurant, annulant notre réservation et passant la commande pendant qu'au petit écran, le lièvre se faisait prendre au piège des chasseurs de manière rebutante.

– Même chose que l'autre fois, est-ce que ça te va ? chuchota-t-il en posant la main sur le combiné.

– C'est parfait…

Le poulet aux arachides et les épinards crous-
tillants étaient aussi délicieux que la dernière fois
et la conversation, aussi animée. Il me questionna
abondamment sur l'expérience que je m'apprêtais
à vivre au Collège Fisher. Après ma famille, Zoé et
le directeur de mon journal à l'école, à qui j'avais
évidemment dû raconter le tout pour justifier
mon absence ce semestre, Ian serait le seul à faire
partie de mes confidences. On s'affairait à la cuisine
à défaire la table et je me préparais à nettoyer les
plats quand il me prit par la main en m'entraînant
au salon.

– C'est pas vrai qu'on va faire la vaisselle pendant le peu de temps qu'il nous reste, grommelait-il.

Il y avait désormais une ombre sur son visage.

– Qu'est-ce qu'il y a ? lui demandai-je.

Il sourit.

– Ben… Il y a que je suis vraiment heureux
pour toi mais… en même temps… je ne peux pas
croire qu'on va passer encore des mois sans se
voir. C'est un vrai supplice, notre affaire, dit-il en
tapotant le tissu de la causeuse pour que je m'y
réinstalle de nouveau. Qu'est-ce qu'on disait,
donc, avant le repas ? souriait-il, pour dissimuler
le malaise.

– On ne disait plus grand-chose, je pense,
rigolai-je.

– C'est ça, oui. J'adore dire pas grand-chose
avec toi, murmura-t-il.

Son ton de voix était magique. Électrique.

C'est lui cette fois qui ferma les yeux, sa tête appuyée vers l'arrière.

– Je n'ai jamais vécu quelque chose comme ça, laissa-t-il tomber.

Sa phrase résonna curieusement en moi.

– Ian Mitchell. Tu ne vas pas essayer de me faire croire que tu ne t'es jamais retrouvé dans cette position-là avec une fille?

– Oh, non, j'en ai connu des filles… Je ne te dirai pas le contraire. Mais je n'ai jamais vécu quelque chose comme ça, nota-t-il en ouvrant les yeux pour me fixer de nouveau. Et toi, tu ne vas pas essayer de me faire croire que tu ne ressens pas ça?

Il avait bel et bien retrouvé son sourire et me dévisageait plus que jamais.

– Pour moi, disons que c'est plus facile de déclarer que je n'ai jamais vécu quelque chose du genre…

– T'es raide dingue de moi, c'est ça? Tu rêves de moi la nuit? Tu penses à moi malgré toi? Tu ne veux plus jamais être loin de moi? Tu me veux tout à toi? C'est comme ça pour toi aussi, hein Laura?

Il le faisait exprès pour exagérer et pour me faire rire. Il frappait la cible à tous coups.

– Wo, wo, je n'aurais peut-être pas dit les choses comme ça… rigolais-je.

N'empêche qu'il n'était pas bien loin de la vérité.

– Alors tu dis les choses comment, toi? murmura-t-il en avançant son visage près du mien.

Il avait beau plaisanter, il attendait néanmoins une vraie réponse.

– Ben… Je suis vraiment bien avec toi…

– Je sais ça… souffla-t-il. Mais encore…

– Tu me plais réellement…

– Je sais ça aussi. Mais encore…

Il souriait de me voir rougir.

– T'es tellement belle…

Cette fois, il était diablement sérieux. Il me prit de court d'ailleurs.

– Et je te fais peur, là? dit-il en avançant encore dangereusement.

– Ça va…

– Et tu te fais peur, là? dit-il en m'effleurant presque.

– Oui, murmurai-je, complètement sous le joug.

– Moi aussi tu me fais peur… chuchota-t-il. On est pareil…

Je fermai les yeux, ne serait-ce que pour ne pas voir la suite. Mais quand je sentis sa bouche effleurer la mienne, c'est moi qui, étonnamment, allai cueillir son baiser. Un si doux baiser qui s'accentua un peu sous ma propre pression… Il recula un brin, me forçant à le regarder cette fois. Je demeurai interdite.

– Je n'ai jamais vécu quelque chose comme ça, répétait-il.

Mes yeux se fondaient dans les siens pendant que je goûtais à mon tout premier et fascinant baiser, lui laissant cette fois les rênes jusqu'à en perdre de nouveau la notion du temps et de l'espace.

À un moment, dans un éclair de lucidité, je fis un mouvement de recul pour tenter de redresser la situation, mais Ian prit mon visage entre ses mains et lut en moi.

– Ne crains rien, je n'irai pas plus loin, chuchotait-il. Laisse-moi juste faire provision de souvenirs, dit-il, avant de coller de nouveau ses lèvres gourmandes sur les miennes.

À une exception près, où je dus me faire violence pour retenir ses mains alertes, agiles et enthousiastes, il tint promesse. Quand Ian Mitchell me déposa au coin de la rue à 22 h 55, pour s'assurer de respecter la parole que j'avais donnée à mes parents de revenir avant 23 heures, on ne s'était échangé que de longs baisers un peu emportés et des mots de plus en plus assumés.

Je n'avais jamais vécu quelque chose comme ça.

Dimanche 16 janvier, 8 heures

Si la journée n'avait pas été si spéciale en soi, mes parents auraient été désarçonnés de voir à quel point j'étais distraite et lunatique. J'avoue qu'il était un peu curieux de fixer un verre de lait aussi sérieusement et de prendre dix minutes pour manger une moitié de rôtie.

À chaque bouchée, ce sont les lèvres tendres de Ian Mitchell qui me revenaient à l'esprit, si bien que la nourriture me semblait soudainement n'avoir plus aucun attrait.

– Est-ce que tu es nerveuse? questionna maman. Laura, si cette histoire à Bradshaw ne te convient plus, on peut tout annuler. Tu le sais, ça? Tu peux tout annuler à tout moment…

– Non, non, pas du tout. Au contraire. Je ne manquerais ce rendez-vous pour rien au monde.

C'était le cas de le dire, car la tentation de demeurer à Belmont était vive depuis hier. Il me suffisait toutefois de cesser mes rêvasseries amoureuses et de rajuster mon focus sur la mission qui m'attendait pour que, de nouveau, mon enthousiasme reprenne sa juste place et que je revienne à la raison.

– Mais dis-moi, ils doivent bien avoir une semaine de relâche comme nous au Collège Fisher?

– Bien sûr, et crois-moi, on va aller te chercher pour te ramener ici! nota-t-elle, avec un faible sourire qui s'évanouit rapidement. Tu vas me manquer, ma grande fille…

– Ne t'inquiète pas. Tout ira bien, maman. Mais c'est sûr que vous allez me manquer vous aussi…

On quitta la maison à 10 h 30, histoire de s'arrêter une petite heure pour dîner en chemin et pour arriver chez Bernard Johnson à 16 heures, comme prévu. Mes parents semblaient nerveux eux aussi même s'ils tentaient de le cacher tant bien que mal.

À vrai dire, tout le monde dans cette voiture essayait de dissimuler ses vraies émotions car, aussi palpitante que soit ma nouvelle aventure, j'avais néanmoins le cœur en bouillie. J'avais eu de la difficulté à retenir mes larmes, la veille, en voyant le Jeep bleu s'éloigner de ma vue. Tout comme il avait été pénible de dire au revoir à Thomas, à Simon, et même à Joy la fabuleuse.

Je me concentrais très fort pour imaginer ce qui m'attendait à Bradshaw, mais mon esprit refusait obstinément de collaborer. Par contre, mes idées reprirent le droit chemin en arrivant dans le stationnement de la maison cossue qui indiquait bel et bien l'adresse de Bernard Johnson.

Déjà que le quartier semblait chic, sa maison tout en pierre, éloignée du chemin principal, était somptueuse. Son épouse était elle aussi accueillante à souhait et j'avais eu l'heureuse surprise d'y rencontrer également Holly, réservée mais très gentille.

Le souper chassa mes angoisses et mon vertige. J'avais eu la crainte de me retrouver dans un climat un peu trop guindé pour moi, mais l'ambiance était chaleureuse. Et que dire de la chambre qu'ils m'avaient réservée…

C'était l'ancienne chambre d'Holly, une pièce située au demi-sous-sol entièrement aménagé au goût du jour. Mme Johnson me surprit en notant que je pouvais d'ailleurs prendre mes aises sur tout l'étage. C'était dire que j'avais ma propre salle de bain! Mon propre coin téléviseur! Mon propre coin bureau pour vaquer à mes études. Je me retrouvais presque dans un loft!

La dame souriait de me voir ravie. Mes parents écarquillaient les yeux eux aussi. Et plus la soirée avançait, plus ils semblaient rassurés de côtoyer nos hôtes. Si bien que, quand ils quittèrent la maison vers 21 heures, tout le monde semblait heureux de la décision qui avait été prise avec tant de précautions.

La voiture de mes parents qui s'éloignait me fit le même effet que le Jeep de la veille. Malgré mes goûts prononcés pour tout ce qui s'appelait aventures et nouveautés, j'eus du mal à trouver le sommeil ce soir-là et à négocier avec le sentiment de solitude qui m'assaillait obstinément. Je me relevai donc pour écrire à Ian. Mais il m'avait devancée.

« *Bonsoir ma belle...* »

En trois mots, j'étais de nouveau plongée dans un état second.

« *Je suis au poste... Tu te souviens de ce que je t'ai dit quand je t'écrirais?...* »

Il était indomptable.

« Et toi ? Comment te sens-tu loin de moi ? C'était fabuleux notre soirée hier, n'est-ce pas ? Dis-moi donc, qu'est-il arrivé à notre lièvre à la télé ? Tu l'as écoutée, cette émission de chasse, oui ou non ? Pour ma part, j'ai perdu la trace du lièvre quelque part entre tes cheveux et tes yeux. Je pense qu'il s'est évanoui dans la nature quand j'ai trouvé tes lèvres... Je crois que je me suis aussi évanoui dans la nature quand j'ai découvert ton cou. Rendu à ta nuque, je n'étais plus de ce monde.

Je ne veux pas que tu penses trop à moi au cours des prochains jours, vu tes occupations. Juste un peu, tout de même... Mais Laura, il va falloir trouver un moyen de se voir. Quatre heures de route, ce n'est rien pour moi si tu m'attends au bout... On va trouver un truc, hein ?

Tu habites mes pensées. Tu occupes mon esprit. Je sens encore ton odeur dans mon appartement... À quoi penses-tu présentement ? Es-tu bien ? Est-ce que l'accueil a été bon ? As-tu hâte à demain ? C'est comment autour de toi ? D'où vas-tu m'écrire ? Que portes-tu ?... Fais-moi signe quand tu le pourras. Tu essaieras de m'oublier plus tard...

xxxxxxxxxxxx »

Misère, même à distance, il se glissait dans ma peau.

« Bonsoir Ian,

Tu te rends compte que tu as le pouvoir de m'hypnotiser à plus de 400 kilomètres ? En quelques paragraphes, tu as réussi à me chambouler avec la même intensité qu'hier soir… Ou presque. C'est fou, ça. Mais si doux…

Fabuleuse… Tu as trouvé le bon mot pour décrire ma soirée à tes côtés. Je crois que le lièvre a réussi à s'échapper et qu'il a rencontré Alice au pays des merveilles. En tous cas, dans ma tête, l'émission se terminait ainsi… :o)

C'est vraiment très beau, ici. Somptueux même. Imagine-toi donc que j'ai presqu'un loft à moi toute seule. Je t'écris depuis un petit coin bureau aménagé tout juste à côté de ma chambre. Tu comprendras que, dans les circonstances, j'ai gardé mon pyjama. Il est vert, comme tes yeux. Mais tu sais quoi? J'ai l'impression qu'aucun tissu ne peut résister longtemps à ton regard perçant.

Toi aussi, tu sembles avoir le don de t'infiltrer partout dans les recoins de mon esprit. C'est fou, ça aussi. Mais honnêtement, c'est ce qui me permet de te dire que je suis bien malgré tous les vertiges qui me tenaillent en songeant à ce qui m'attend demain. Heureusement, je crois que je suis tombée sur une famille que je vais apprécier. La grande classe, je te jure. Je crois que je suis entre de bonnes mains, même si j'aime mieux les tiennes.

Je ne sais pas si on va trouver un truc pour se voir. Je vais y réfléchir, bien sûr. Comment faire autrement? Mais ce que je sais, c'est que je connais l'endroit où je me retrouverai en pensée à chacun de mes temps libres…

xxxxxxxxxxxxxx »

Lundi 17 janvier, 8 heures

Bernard Johnson avait pris soin de m'éviter l'autobus scolaire la première journée et avait déjà commencé à me « coacher ». Je devais d'abord et avant tout prendre le profil d'une jeune fille sans grand caractère, contrairement à ma nature. Il me conseillait la discrétion, la timidité, l'écoute et la docilité. Je devais donner l'impression d'une élève qui se pliait aisément aux règlements, qui n'avait pas beaucoup d'esprit critique et qui, même, semblait se retrouver dans un moment de sa vie où elle se sentait un peu perdue et où elle avait besoin de se trouver un groupe d'appartenance. Si le professeur était le moindrement malveillant, c'est le profil de personne qu'il rechercherait.

Le scénario allait comme suit. Mes parents s'étaient séparés avant les fêtes et j'avais déménagé à Bradshaw avec ma mère seulement, où on l'avait transférée. Je n'aurais probablement pas besoin d'en dire plus. La discrétion serait mon arme de défense. En revanche, je devais trouver un moyen de cerner rapidement quelles étaient les jeunes filles de la troupe de théâtre et m'acoquiner avec elles, si possible. Bernard Johnson me demandait de noter si ces filles avaient des points en commun, tout comme il me conseillait de porter une attention bien particulière au directeur de la troupe. Il voudrait tout savoir de lui.

De mon côté, il était extrêmement curieux de me retrouver dans une école incognito et de ne reconnaître aucun visage autour de moi, de n'avoir aucune Zoé pour m'accoster et me raconter ses péripéties les plus folles au détour d'un corridor, ni de Thomas à proximité pour me compléter.

Le collège était plus petit que mon école. Il ne serait pas trop compliqué de m'y retrouver. D'ailleurs, il était déjà convenu qu'on m'attendrait à la réception. Je n'avais qu'à demander Judith Dubreuil. La dame m'avait remis mon horaire et m'avait fait visiter l'école dans son ensemble avant de me conduire au local de mon premier cours, en mathématiques. Tout cela partait plutôt raide, mais bon. D'autant plus que je ne me sentais pas tout à fait moi-même dans l'uniforme de ce collège, une jupe bleue et une blouse blanche qui n'avaient aucun rapport avec mes tenues ordinaires mais qui, je le réalisai, m'aidaient à me glisser dans mon nouveau personnage. Car c'est bel et bien de cela dont il s'agissait.

La première journée fut tout de même déroutante, en premier lieu parce qu'il n'y avait aucun garçon dans cette école et, en deuxième lieu, du fait que toutes les filles se connaissaient et me donnaient l'impression d'être une immigrée dans mon propre pays. J'aurais une pensée pour les immigrants la prochaine fois…

Je notai aussi rapidement que, pour m'adapter à un groupe, il faudrait nécessairement que je m'impose un peu, ce qui n'était pas tellement dans mes habitudes. Mais force était de constater que les étudiantes rencontrées n'en avaient rien à cirer d'une nouvelle venue à intégrer.

Par bonheur, dans mon deuxième cours, en éducation physique, il fallut se mettre en équipe de deux pour effectuer les mouvements de gymnastique qui étaient au programme. Mieux encore, c'est le professeur qui me désigna ma partenaire, une fille rondelette prénommée Catherine qui, heureusement, semblait un peu moins snobinarde que certaines autres. C'est elle qui me passa, sans le savoir, mon premier test d'improvisation en me demandant où ma mère travaillait.

– À l'hôpital, répondis-je rapidement.

– Ah, j'ai une tante qui est infirmière aussi. Elle est à quel hôpital ?

– Je ne sais pas. J'ai de la misère à retenir le nom de notre rue alors imagine… Mais elle n'est pas infirmière, elle travaille à l'administration.

– Ah bon. Quel poste ?

Pas snob, mais curieuse en diable.

– Ce n'est pas décidé encore. Elle a pas mal d'ancienneté alors je crois qu'elle va avoir le choix entre deux ou trois postes. Je vais probablement en savoir plus ce soir, elle commençait ce matin elle aussi.

Pour une fois que les connaissances syndicales de mon père me servaient à quelque chose.

– Tu devais être déçue de déménager au beau milieu de ton secondaire quatre ?

– Un peu, puisque que je perds mes amies, mais ma mère était tellement malheureuse ces derniers temps que ça fait du bien de la voir repartir à neuf…

Toutes ces années, je ne savais même pas que j'étais une fieffée menteuse.

– Et toi, tu as toujours vécu à Bradshaw ?

Je la pressai de questions à mon tour, de manière à retourner l'attention vers elle, tout en lui glissant au hasard de la conversation que j'aimerais bien intégrer la troupe de théâtre.

– J'en faisais à mon autre école et c'est le métier que je veux exercer plus tard. Je veux devenir comédienne, mentis-je éhontément. Si je ne pratique pas de théâtre ici, je vais avoir l'impression de perdre du temps.

– Eh bien, bonne chance !

– Pourquoi, c'est si difficile que ça les auditions ?

– Ah, les auditions je ne sais pas… Mais les filles de théâtre, c'est pas n'importe quoi ! siffla-t-elle, yeux au ciel.

– Ah oui ? Dans quel sens ?

– Ben je ne sais pas ce qu'ils leur apprennent en théâtre, mais le moins qu'on puisse dire, c'est que ça leur monte rapidement à la tête ! C'est comme si elles continuaient à jouer leurs drames, même en dehors de leurs cours…

– Ouf… T'aurais pas le goût de tenter ta chance ? Au moins, nous serions deux à être normales…

Première grossière erreur. Moins j'aurais de la compétition en audition, meilleures seraient mes chances. Mon désir de me lier d'amitié avec quelqu'un m'avait fait oublier ma mission première, mais l'erreur fut de courte durée.

– On ne me prendra pas à ce jeu là, souriait Catherine. Je déteste ce groupe de pimbêches aux allures graves et je n'ai aucun talent de comédienne, crois-moi.

Je notai toutefois que mon offre lui avait fait plaisir et qu'elle avait compris un peu mon isolement.

– Si tu n'as personne pour dîner aujourd'hui, viens me rejoindre à la cafétéria, je te présenterai quelques amies.

Je n'étais pas tombée dans le groupe visé mais, au moins, je ne me retrouverais pas seule à une table, comme je l'appréhendais. Et mon astuce me servit tout de même.

À la table, le midi, elle me présenta Sophie, Maude et Betty, qui avaient toutes en commun la caractéristique de ne pas avoir la langue dans leur poche. Elles jacassaient d'ailleurs à qui mieux-mieux, contrairement à Catherine, plus discrète, mais ricaneuse comme pas une. Elle rigolait à toutes leurs niaiseries et les autres en rajoutaient. Ma «nouvelle amie» était visiblement entourée de comiques. Si Zoé avait été parmi nous, elle leur aurait toutefois damé le pion…

Je trouvai le tour de remettre sur le tapis mes ambitions de me tailler une place au sein de la troupe de théâtre.

– En tous cas, ça nous aura fait plaisir de te connaître, soupira Maude.

– C'est si pire que ça ? souriai-je.

Les filles eurent tôt fait de me désigner le groupe en question, isolé dans un coin de la cafétéria. Je comptai sept filles au total, qui avaient effectivement l'air de rigoler pas mal moins que mon groupe d'adoption…

– Non, mais regarde-les… Des vrais boute-en-train, hein ? ironisa Betty.

J'étais vraisemblablement tombée sur un petit groupe d'amies qui me convenaient davantage, mais mon propre plaisir n'avait aucun rapport dans l'équation. Je pris silencieusement le temps de graver le visage des élèves de théâtre dans ma mémoire, de sorte qu'en intégrant ma classe de chimie en début d'après-midi, je repérai l'une d'entre elles et m'empressai d'aller m'asseoir à proximité. À la fin du cours, j'en profitai pour l'aborder.

– Excuse-moi, je dois me rendre au local de théâtre. Tu peux me dire où je peux le trouver ?

– Pourquoi tu cherches le local de théâtre, au juste ?

– Je passe une audition mercredi soir et je ne veux pas être en retard.

Elle me détailla de la tête jusqu'aux pieds, sans sourire, avant de me donner le numéro du local et de tourner les talons. C'en était tout.

Lundi 17 janvier, 16 heures

Après mon dernier cours de la journée, malgré le peu d'indication, je trouvai le local en question au sous-sol de l'école. La pièce était grande, froide et vide à cette heure-ci, sinon qu'il semblait y avoir quelqu'un dans le bureau du professeur Didier Dunlop, ciblé par Bernard Johnson comme étant le maître à penser de la troupe.

La jeune fille qui en sortit avait le visage grave elle aussi, notai-je en la suivant du regard jusqu'à la sortie.

– Je peux t'aider ?

L'homme qui apparut devant moi devait avoir l'âge de mon père, début quarantaine. Il était grand, mince, maigre à la limite, les cheveux déjà poivre et sel et des yeux bleus vifs qui me fixaient. Contrairement à la jeune fille qui venait de le quitter, il semblait toutefois rayonner.

– Peut-être… Je dois passer une audition mercredi et je voulais voir le local pour me familiariser avec les lieux…

– Ton nom ?

– Laura St-Pierre.

Il me fit signe de l'attendre un moment et revint avec une liste.

– C'est juste. Je suis Didier Dunlop. Nous avons rendez-vous à 18 h 00 mercredi. Ça te va ?

Je ne pensais pas tomber si vite sur Dunlop.

– Oui, oui, parfaitement. J'y serai sans faute, hasardai-je en me hâtant de tourner les talons, mais l'homme me retint.

– Laura, as-tu deux minutes?

Non seulement il avait mémorisé rapidement mon prénom, mais il m'interpellait déjà de façon familière. Je me sentis bêtement prise au piège. Je n'étais pas préparée à l'affronter si rapidement.

– Euh… oui.

– Je fais toujours passer une entrevue en plus de l'audition… Entre, elle sera faite, dit-il en pointant son bureau d'une manière qui ne me laissait guère d'autre choix…

Son bureau était tapissé de cadres où l'on pouvait observer des scènes de théâtre en gros plan. En revanche, aucune de ses questions ne portait sur les arts de la scène, l'homme se concentrant plutôt sur mon histoire personnelle.

Il me revint à l'esprit l'image suggérée par Bernard Johnson, qui disait que les jeunes filles de la troupe avaient l'air de petits oiseaux effarouchés, et je revêtis mon premier véritable personnage de l'année, celui de la jeune fille vulnérable et sans défense.

Suivant ses questions, je lui racontai donc que mon cadre familial avait éclaté abruptement et que je me retrouvais désormais sans repères, dans une ville inconnue qui était beaucoup plus grande et impressionnante que mon ancien patelin, que mon père me manquait et que je me sentais seule depuis mon arrivée ici. Le théâtre serait pour moi une sorte d'échappatoire, un point d'ancrage.

Il était d'une écoute impressionnante, ses mains devant sa bouche, les doigts croisés à la manière d'une prière, le regard toujours très fixe sur moi, intimidant. À fréquence régulière, je sentais néanmoins son esprit vagabonder.

– Je sais qu'il n'y a que deux places vacantes, mais si j'ai la chance de faire partie de cette troupe, je m'y investirai complètement, appuyai-je, confiante dans l'avenue que j'avais prise.

– Je crois que tu pourrais te plaire avec nous. On forme une grande famille et je ne sélectionne que l'élite… Les candidates choisies profitent ici d'une expérience qui les amène à se dépasser… Les exercices peuvent être exigeants parfois, insista-t-il. Au départ, mes filles ne soupçonnent pas qu'elles peuvent utiliser leurs capacités à fond et elles le découvrent rapidement en suivant mon enseignement. J'ai même parfois recours à la méditation. As-tu déjà médité?

– Non.

Cette fois, j'avais opté pour la vérité simple plutôt que de m'aventurer en terrain inconnu où il aurait pu me piéger rapidement.

– Ce n'est pas grave. C'est mieux même, dit-il. Je t'enseignerai… Et sur le plan de l'alimentation, tu es ouverte à modifier quelques habitudes?

Sa question me surprit, mais j'acquiesçai sans broncher.

– Le corps est un véhicule d'émotions… souffla-t-il. Plus nous le purifions, plus il est libre de faire cheminer nos émotions vers la scène avec légèreté… Je tiens à optimiser le bien-être de mes comédiennes, et les résultats sont excellents.

«Mes filles»… «Mes comédiennes»… L'homme semblait doté d'une assurance qui frôlait la prétention. Ceci dit, j'acquiesçais à toutes ses phrases, me forçant même à simuler l'admiration.

– Lève-toi et tourne.

Sa commande me laissa interdite, mais je m'exécutai. De son côté, il ne se gênait aucunement pour me détailler sur toute ma longueur.

– Tu mesures et tu pèses combien ?

N'eût été ma mission, je serais ressortie du bureau à ce moment-là, mais je lui répondis clairement.

– Cinq pieds cinq, 116 livres.

– Hum.

Il était concentré, visiblement à l'étude.

– Je crois que ton poids santé se situerait plutôt autour de 105 livres, mais ce ne sera pas difficile à guérir…

Guérir ? C'était confirmé, je ne l'aimais pas beaucoup.

– Je ferai ce qu'il faut. Je veux vraiment être comédienne plus tard et j'aimerais bien recevoir vos enseignements.

Ma réponse le combla.

– Si tu écoutes religieusement mes indications, ton rêve pourrait bien se réaliser. Mais il va falloir travailler dur…

– Bien sûr…

C'en était assez pour le moment. En me dirigeant vers la sortie, je sentis son regard appuyé. Il s'empressa de m'ouvrir la porte et posa même sa main sur mes cheveux.

– Allez, reviens-moi mercredi, nous verrons ce que nous pourrons faire avec toi, jeune fille, dit-il en haussant les sourcils d'un air approbateur.

Au sortir de son bureau, j'avais l'impression d'avoir passé un premier test avec succès. J'en étais même à me demander si ce test n'était pas plus important que la véritable audition…

Mercredi 19 janvier, 18 heures

Je comptai une douzaine de filles assises dans la salle en entrant dans le local de théâtre. Jusque-là, ma confiance était bonne. Ce n'était quand même pas toutes les candidates qui avaient eu la chance de passer les deux soirées précédentes en compagnie d'une comédienne professionnelle, à pratiquer la diction, la projection de la voix, la gestuelle et à se faire offrir sur un plateau d'argent tous les trucs de la profession pour parvenir à entrer dans la peau d'un personnage.

La comédienne en question s'appelait Élisabeth Murray, avait vingt ans de métier, se spécialisait en théâtre, mais avait tout de même un visage connu. Je l'avais certainement vue à la télévision, dans une émission de ma mère peut-être…

J'avais été épatée par sa générosité. La dame avait préparé mon audition comme si j'allais faire mon entrée à un conservatoire de théâtre, rien de moins. Elle avait trouvé le texte que je devrais jouer et me l'avait acheminé par courriel avant même mon arrivée à Bradshaw, de sorte que je savais désormais mes répliques par cœur. Nous avions pu ainsi nous concentrer sur le travail pratique dès le départ.

Ses exercices avaient été intensifs, mais après avoir vaincu ma timidité du début, j'y avais drôlement pris goût, consciente que cet apprentissage me servirait aussi bien dans ma position d'« agent double » à l'école que pour ma véritable audition.

C'est ainsi que Bernard Johnson me qualifiait désormais : son « agent double »… Le contact était facile avec lui et son épouse était aux petits soins avec moi. Elle était, en plus, excellente cuisinière et aimait bien que je m'intéresse à l'art culinaire. Toutes les occasions étaient bonnes pour la seconder. J'étais l'« agent double » de monsieur et l'aide-cuisinière de madame, et je m'en portais très bien. J'avais écrit à Ian que j'étais entre de bonnes mains, l'expression était faible.

M. Johnson avait par ailleurs été particulièrement heureux de ma répartie lors de l'entrevue improvisée que j'avais passée en tête-à-tête avec Didier Dunlop. J'étais nerveuse en lui relatant les faits dans les détails, mais il avait souri devant mon imitation de petit oiseau sans défense…

Comme nous étions invités, pour l'audition, à choisir une scène susceptible de montrer une facette de notre tempérament sur scène, nous avions aussi opté pour un personnage vulnérable. Élisabeth Murray avait choisi pour moi le personnage d'Agnès, dans *L'École des femmes*, une pièce de Molière.

Elle avait travaillé avec moi sur mes qualités d'écoute à l'égard de mon partenaire de scène, sur mon abandon, sur mon énergie et sur ma présence.

– Le comité de sélection va vouloir que la réalité s'impose sur la fiction. Tu dois leur faire oublier le temps réel, disait-elle.

Elle aurait été déçue de constater que le « comité de sélection » était constitué d'une seule personne, Didier Dunlop lui-même, qui me gratifia d'un large sourire dès mon entrée sur scène.

J'avais les mains moites et le cœur battant en me postant devant lui. Personne ne se doutait que l'enjeu était aussi immense pour moi. Je tentais de chasser mes angoisses, mais à tout moment, le sentiment de jouer mon avenir de journaliste m'envahissait. Si je n'étais pas admise dans cette troupe, ma mission venait de sombrer dans le néant et j'en étais quitte pour un échec. Bernard Johnson et sa famille méritaient amplement que je me donne tout entière.

On nous avait permis de lire le texte, mais Mme Murray m'avait vivement conseillé de l'apprendre par cœur, de manière à me concentrer sur l'autre fille qui devait, en principe, me donner la réplique. Sauf que c'est un homme barbu qui apparut à mes côtés sur scène, le texte en mains.

– Ingrid est occupée, Pierre va la remplacer. Allez-y, avisa Dunlop.

Il s'agissait d'une scène un brin coquine. J'aurais souhaité voir devant moi une autre fille du groupe pour interpréter Arnolphe, mais je dus composer avec les événements.

Je pris une minute pour me ressaisir, me concentrer et bien m'imprégner de mon personnage avant de lancer la première réplique, comme on se lance d'un tremplin de dix mètres…

– « *Le petit chat est mort…* », dis-je, accablée.

L'extrait n'était pas très long mais je dus tout de même me concentrer vivement pour que ma voix ne tremble pas sous la pression. D'autant plus que l'homme qui me répondait avait toujours un sourire flanqué au visage même si le texte ne le commandait pas.

– «*Jamais je ne m'ennuie*», répliquai-je de nouveau.

Cette fois, la phrase était sortie un peu trop affirmative à mon goût.

C'est en pensant très fort à ma mission que je me ressaisis, plongeant le plus loin possible dans la peau d'Agnès.

– «*Mon Dieu, ne gagez pas, vous perdriez vraiment*».

C'était mieux.

– «*Contez-moi cette histoire…*», répliqua le barbu.

Je plongeai encore plus creux.

– «*Elle est fort étonnante et difficile à croire*», enchaînai-je en baissant le ton pour simuler la confidence, plus convaincue que jamais.

– «*J'étais sur le balcon à travailler au frais lorsque je le vis passer sous les arbres…*».

J'étais complètement dans la scène. Je devenais Agnès. Je racontais cette anecdote comme si elle était survenue chez moi hier…

– «*Un jeune homme bien fait qui, rencontrant ma vue, d'une humble révérence aussitôt me salue…*»

Je ne voyais plus le barbu, mais j'imaginais cet homme me saluer.

– «*Je fis la révérence aussi de mon côté*», enchaînai-je. «*Soudain, il me refait une autre révérence. Moi, j'en refais de même une autre en diligence...* »

Je posais tous les gestes qui se rattachaient à mon histoire. J'avais l'air convaincue. J'étais sur la bonne voie. La suite ne fit que s'améliorer.

En redescendant de la scène, au bout des cinq minutes allouées, je n'en étais pas moins tendue. Seul le sourire de Didier Dunlop me redonna un peu d'espoir. J'avais beau avoir tout donné, j'étais toujours extrêmement anxieuse en revenant à la maison des Johnson.

– Toutes les candidates s'attendaient à voir une autre élève leur donner la réplique... Je crois qu'ils l'ont fait exprès pour nous déstabiliser, leur expliquai-je au souper.

– Tu ne peux plus rien y changer maintenant, alors il ne reste plus qu'à attendre les résultats, me rassura Bernard Johnson. Ont-ils dit à quel moment vous aurez des nouvelles ?

– Vendredi matin, ils vont afficher les deux noms au babillard qui est à l'entrée du local.

Je savais très bien que les deux journalistes qui me servaient désormais de famille étaient nerveux eux aussi, mais ils jouaient leur rôle de manière impeccable et décidèrent même de laisser tomber la soirée au cinéma qu'ils avaient prévue pour louer un film à la maison et me tenir compagnie.

Pour être polie en retour, je dus me taper le tout dernier film de Pedro Almodovar, un cinéaste espagnol qu'ils semblaient apprécier grandement... J'ai bien essayé de me concentrer sur l'histoire, mais j'en avais une autre en tête avec, en vedette, l'incroyable Ian Mitchell… Et mon scénario était passablement plus palpitant.

J'attendis impatiemment le générique de la fin pour m'éclipser et consulter mes courriels. Ian, Zoé, Thomas et maman, tous voulaient savoir comment s'était déroulée mon audition… J'avais beau me parler et me dire que j'avais donné le maximum de mes capacités, si je n'obtenais pas ma place au sein de la troupe, je savais très bien que j'aurais de la difficulté à me le pardonner.

Je débutai par le courriel de Ian. Évidemment.

« Bonsoir comédienne…
J'imagine que tu leur en as jeté plein la vue… »

Misère. S'il m'avait donné la réplique dans une scène d'amour, lui, j'aurais obtenu le rôle. Assurément.

Vendredi 21 janvier, 8 heures

Il y avait déjà deux filles qui attendaient devant le babillard à mon arrivée à l'école ce jour-là, mais aucune note n'avait encore été affichée au tableau. À 8 h 25, dix candidates étaient passées tour à tour devant le local, mais il semblait n'y avoir personne derrière la porte close.

Graduellement, toutes avaient rebroussé chemin, se disant que l'heure du dîner serait peut-être plus heureuse pour connaître les résultats des auditions. Appuyée le long du mur, je dus me faire violence pour me rendre à l'évidence et gagner mon local de classe. Mais l'attente était trop lourde. En plus d'avoir accusé un léger retard au cours, je ne crois pas avoir absorbé la moitié de la matière dispensée ce matin-là…

Ce n'est qu'en quittant le local que la fille de mon cours de chimie vint à ma rencontre avec un sourire qui tranchait drôlement avec l'air que j'avais noté chez elle la dernière fois.

– Didier Dunlop veut te voir à midi. Sois là, me glissa-t-elle en poursuivant son chemin.

– Est-ce que tu sais si les résultats sont sortis ?

Mais elle ne fit que me sourire en retour…

Je dus me raisonner pour ne pas enfiler les corridors à la course et dévaler les escaliers jusqu'au sous-sol, me forçant plutôt à suivre le flot d'étudiantes vers de nouveaux locaux de classe. N'empêche que le sourire de la « pimbêche » avait réveillé chez moi le déferlement de nervosité que j'essayais de dompter depuis deux jours et deux nuits.

C'est encore elle que je croisai dans l'escalier en me rendant au local de théâtre un peu avant midi.

– Voilà qu'on se retrouve ! me lança-t-elle. Je m'appelle Ingrid. Et toi, c'est Laura, je sais...

– Tu vas au local de théâtre, toi aussi ?

– Oui. Ne pose pas de questions. Suis-moi.

Je ne voulais pas me faire de fausses joies, mais son changement d'attitude envers moi n'était certainement pas anodin. Cette impression positive se confirma quand je vis mon nom sur l'affiche qui avait enfin atterri sur le babillard de l'entrée. J'avais gagné ma place ! J'en avais le souffle coupé.

Je tournai les talons, m'apprêtant à courir loin des regards indiscrets pour téléphoner à la maison et annoncer la bonne nouvelle aux Johnson quand Ingrid me retint.

– Hey, que fais-tu ? Nous sommes attendues, Laura...

– Je reviens !

– Non ! Nous avons rendez-vous à midi pile ! Didier n'apprécierait pas...

Sa dernière phrase résonnait comme un sérieux avertissement, me ramenant à la réalité et à la gravité du groupe de « drama queens » auquel j'appartenais désormais. Je dus donc refouler mon enthousiasme pour retrouver illico mon personnage d'oiseau effarouché et suivre cette chère Ingrid...

C'est avec un baiser sur chaque joue que Dunlop accueillit sa « doyenne ». Je notai la main de l'homme qui atterrit au bas du dos de ma consœur, comme si de rien n'était. Par chance, il fut plus retenu avec moi.

– Laura, ma petite nouvelle! Contente de faire partie de ta nouvelle famille?

Ma nouvelle famille. Rien de moins.

C'est en songeant à ma vraie famille et aux Johnson que je lui adressai néanmoins mon plus large sourire. Je finirais par devenir la pire des hypocrites, ma foi.

– Ça fait du bien de savoir que je suis admise. Je vais être une fidèle alliée, notai-je. J'ai déjà hâte à notre première pratique.

– Justement, on a une réunion mercredi soir à 18 heures, ici. Mais jusque-là, j'aimerais que tu fasses connaissance avec Ingrid… Vous vous êtes déjà rencontrées, si je comprends bien… Elle sera ton âme sœur pour t'initier au groupe. Ingrid va se charger, au fil des prochaines semaines, de t'expliquer un peu plus notre fonctionnement. Elle a mon entière confiance, dit-il en adressant un signe de la tête à mon «initiatrice» d'un air solennel.

Que de flafla.

– Merveilleux, lançai-je à brûle-pourpoint, notant que tous deux attendaient une réaction de ma part.

– Ce soir, 16 heures, on se retrouve ici, dicta Ingrid, qui filait déjà.

J'avais beau ne pas être nécessairement enchantée de mon association avec cette fille, j'aurais préféré partir avec elle mais, de toute évidence,

Didier Dunlop n'en avait pas terminé avec moi. Il referma la porte prestement derrière Ingrid et vint s'asseoir sur une chaise à mes côtés, plutôt que de reprendre la sienne, derrière son bureau.

– Tu vas voir, on va bien prendre soin de toi, dit-il en tapotant mon genou au passage. Tu n'as pas eu le temps de dîner, j'imagine ? Prends, c'est pour toi.

Sur son bureau, il y avait un cabaret contenant un morceau de fromage, deux petits craquelins de blé, une grappe de raisins rouges, un bol de crudités sans trempette et une bouteille d'eau.

– Vas-y, sers-toi.

Ce fut mon repas. Car toute l'heure du dîner y passa.

Didier Dunlop tentait de me faire réaliser à quel point j'étais chanceuse de faire partie de son équipe et m'expliquait pompeusement que je serais accueillie au sein de la « famille » avec beaucoup de générosité par les autres filles. Je ne devais pas m'inquiéter avec ça, appuyait-il.

Il m'avisa aussi que dorénavant, je devrais réduire ma consommation de viande rouge autant que possible. Pour me convaincre, il me fit d'ailleurs un long laïus sur la cruauté du sort réservé aux animaux que les gens mangent, aussi bien lorsqu'on les élève que lorsqu'on les envoie à l'abattoir.

Je l'écoutais attentivement. Et j'en fus profondément dégoûté. Il avait l'art d'expliquer les choses, c'est le moins qu'on puisse dire. Disons qu'avec le discours qu'il venait de me servir, je n'aurais pas de difficulté à suivre cette première consigne. En croquant goulûment dans une carotte, je me demandai même comment je ferais pour poser de nouveau une dent dans une tranche de steak saignant.

Il ajouta qu'il n'était pas nécessaire d'en informer ma famille, qui verrait peut-être ce changement d'un mauvais œil.

– Mon enseignement ira bien au-delà du théâtre, Laura. Pour performer et pour rayonner sur une scène, le corps est un véhicule très important, et je tiens à ce que mes filles en prennent grand soin. Tout mon art repose sur une série de préceptes qui sont reliés et qui, individuellement, peuvent être incompris des gens de l'extérieur… Je suis aussi très exigeant sur la confidentialité de tout ce qui sera dit dans mes cours. J'ai bâti ce programme de théâtre au fil des ans et j'atteins des résultats impressionnants. Je n'ai pas envie que mon enseignement s'ébruite et que d'autres professeurs empruntent mes techniques. C'est extrêmement important pour moi, insista-t-il. Tu comprends ?

– Je comprends.

– Tant mieux, parce que je serai très sévère sur ce point. C'est donnant-donnant, expliqua-t-il. Mes filles profitent du meilleur enseignement qui soit et elles conservent toute la confidentialité sur mes techniques. Je te dirais même que si l'une de mes élèves ne respecte pas cette consigne, elle est exclue du groupe immédiatement.

Il était sérieux à m'en rendre mal à l'aise.

– C'est ce qui est arrivé aux deux élèves qui ont quitté le groupe à la session dernière. Elles parlaient trop, nota-t-il, avant d'esquisser un sourire qui se voulait charmeur. Mais entre toi et moi, tu peux leur dire merci, car elles t'ont fait une belle place dans la troupe!

Il avait l'air totalement réjoui désormais, en se levant pour gagner une grande armoire qui longeait le mur de son bureau.

– Et maintenant, je te montre ton premier cadeau d'intronisation, scanda-t-il fièrement. Voici notre uniforme officiel.

Il me tendit une longue robe blanche qui avait des allures de soutane.

Cette fois, je crois que je n'ai pas été capable de dissimuler ma surprise.

– Qu'est-ce que c'est, vous dites?

– C'est notre costume de théâtre des grands soirs. On ne l'enfile pas à toutes les pratiques, on le réserve pour les plus importantes performances.

Il semblait tout à fait emporté par son art.

– Quand je sens que mes élèves ont bien acquis les rudiments de théâtre, je les fais toutes se costumer de la même manière. De cette façon, ça rehausse le niveau de difficulté. L'élève doit se concentrer sur son texte, sur sa gestuelle et sur son expression pour bien véhiculer toutes les émotions d'une scène. Quand les filles sont vêtues de leurs tenues habituelles, elles s'en servent inconsciemment pour incarner leur personnage, mais lorsque tout le monde est habillé de la même manière, elles ne peuvent compter que sur leur pouvoir de persuasion, sans accessoire. Tu vas comprendre quand nous ferons l'exercice. Ça aussi, c'est un autre truc secret, chuchota-t-il en me gratifiant de son plus large sourire. Enfile-la.

– Pardon ?

– Enfile-la par-dessus tes vêtements. Je veux voir l'allure de ma nouvelle protégée…

Je m'exécutai.

– Tourne.

Je m'exécutai de nouveau.

Il semblait si fier.

– Superbe. Tu es superbe, Laura, souffla-t-il. J'ai été très impressionné par ton audition. Je crois que tu as la capacité de développer de grands talents de comédienne…

Si c'était vraiment le métier que j'avais voulu exercer, j'aurais certainement été aux anges de me voir si talentueuse dans les yeux de mon nouveau professeur. Mais avec mes sérieux penchants pour le journalisme, je trouvais l'homme plutôt exalté et intimidant dans ses élans d'enthousiasme. Je dus me contraindre à simuler le petit vent d'euphorie qu'il tentait visiblement d'insuffler chez moi…

– C'est magnifique. J'avais très peur en voyant les autres candidates jouer leur scène en audition… Je me sens choyée d'avoir été sélectionnée, roucoulai-je.

– Laisse-toi guider par mon enseignement, Laura, et tu verras que tu as tout le potentiel qu'il se doit, déclara-t-il solennellement en tentant visiblement de me rassurer.

J'espérais que la séance soit bel et bien terminée, mais quand je m'apprêtai à quitter son bureau, il me retint doucement par le bras, tout sourire.

– Tu oublies quelque chose, jeune fille…

Mon cœur fit trois bonds dans ma poitrine. Que diable voulait-il de moi?

– Ton costume de scène… souffla-t-il. Je comprends que tu puisses l'aimer, mais il faudra être patiente. Je te le remettrai lors de nos exercices spéciaux…

Je croyais être en pleine possession de tous mes moyens, mais je dus m'avouer que j'étais un peu à côté de mes pompes pour oublier de lui remettre ce sordide accoutrement. Ce que je fis en hâte avant de ressortir de son bureau, déstabilisée. Cet homme avait l'art de vous happer complètement dans son curieux univers jusqu'à vous faire oublier le vôtre… Mais bon, voilà qui devait être plutôt pratique en théâtre.

C'est néanmoins avec un vif sentiment d'imposteur que je regagnai la réalité des corridors de mon école. Et c'est au beau milieu de mon cours d'anglais que je réalisai à quel point j'étais affamée…

Vendredi 21 janvier, 15 h 30

Je n'avais que trente minutes pour me dénicher quelque chose à ingurgiter, pour me trouver un coin retiré et passer le fameux coup de téléphone à Bernard Johnson afin de lui annoncer la nouvelle avant d'aller rencontrer Ingrid.

Devant une machine distributrice, mon choix se fixa prestement sur une tablette de chocolat que j'emportai avec moi dans la cour de l'école, mon refuge le plus sûr, mais plutôt froid. Une brise glaciale me transperçait et s'infiltrait dans le combiné du cellulaire que mon mentor m'avait généreusement fourni, si bien que le vent causait des perturbations dans la brève conversation que j'eus avec lui. J'avais beau tourner sur moi-même, le vent se glissait jusqu'à mon oreille de tous les côtés.

J'entendis néanmoins son soulagement au bout de la ligne quand je lui annonçai joyeusement l'heureuse nouvelle. J'avais toutefois de la difficulté à entendre l'enfilade de questions qu'il me posait, si bien que la conversation fut plus brève que ce que nous aurions souhaité. M. Johnson disait qu'il avait hâte d'en savoir plus et qu'il viendrait me chercher sur les coups de 18 heures au petit café Athéna.

– Si tu n'as pas terminé, trouve une excuse pour t'échapper, mais il faut absolument que je te voie à 18 heures. Il y a trop de choses dont nous avons à discuter…

Le café était situé à deux coins de rue de l'école et c'est à cet endroit que nous avions convenu de nous donner rendez-vous quand je n'aurais pas la possibilité d'emprunter l'autobus scolaire. Son épouse ou lui viendrait m'y cueillir.

De jour en jour, je réalisais à quel point les Johnson bousculaient leur quotidien pour me faire une place et j'étais épatée de voir qu'ils le faisaient avec tant de générosité pour deux personnes qui étaient aussi occupées dans la vie. Je prenais du coup conscience de l'importance de ma « mission ». Le couple n'aurait pas fait toutes ces concessions si le « coup » n'avait pas été le moindrement sérieux.

– Hé, Laura !

Ingrid me sortit de ma torpeur. Je n'avais même pas eu le temps de descendre au local de théâtre qu'elle m'avait déjà repérée. J'aimais mieux les grandes écoles où l'on pouvait se perdre, tout compte fait.

– Mais qu'est-ce que tu ingurgites ? grimaça-t-elle.

Elle semblait absolument outrée. J'étais sérieusement agacée.

Prise avec le sentiment de culpabilité qu'elle venait de faire jaillir, j'avais l'air d'une souris piégée dans un coin avec ma tablette de chocolat dans une main et mon manteau sur le dos.

– T'es sortie de l'école ?

– Oui, j'avais vraiment besoin de prendre l'air après mon cours d'anglais... Vous êtes plus avancées qu'à mon autre école sur le plan de la formation, on dirait... J'ai plus de difficultés. À vrai dire, j'ai la tête grosse comme ça, lui mimai-je

avant de prendre courageusement une autre bouchée. J'avais besoin de chocolat aussi… ajoutai-je
prestement, un sourire coupable en coin.

– Eh ben, on dirait bien que tu vas avoir
sérieusement besoin de mon assistance ! commenta-
t-elle avec le plus grand des sérieux. Si Didier te
voit en train de t'empiffrer de chocolat, il ne rira
pas, lui.

À ces mots, elle prit mon goûter et le balança
dans la poubelle à proximité sans que j'aie le
temps de crier gare. Je luttai pour ne pas lui dire
ma façon de penser mais, de toute évidence, Ingrid
n'en avait rien à faire de mes opinions.

Et voilà que je courais presque derrière elle
pour gagner de nouveau le local de théâtre où je
croyais que nous serions seules, mais non. Didier
Dunlop était encore là, accompagné d'une autre
«marraine», disait-il en me présentant Joëlle. Cette
dernière était, pour sa part, en grande conversation
avec l'autre «petite nouvelle», une jolie rousse
aux yeux très bleus prénommée Candide.

Je ne pus m'empêcher de sourire en constatant
à quel point cette fille avait un prénom qui lui
était prédestiné. Candide avait tout à fait le profil
du petit oiseau effarouché dont parlait Bernard
Johnson. Bien plus que moi, d'ailleurs. Le journaliste avait vu juste. Didier Dunlop savait visiblement
s'entourer d'élèves dociles.

Candide était petite, frêle, douce, délicate, et
carrément en bas de son poids santé… Sa présence
me fit du bien. Elle était différente des autres.
Candide devait ressentir la même chose car,

aussitôt que nos «marraines» nous laissaient un peu tranquille, nous avions le réflexe de nous réunir, elle et moi.

– Ça fait deux ans que j'essaie d'entrer dans ce groupe, je suis tellement excitée, me souffla-t-elle. Et toi?

– Moi?

– Tu vis ça comment?

Je tentai de capter son enthousiasme pour le faire mien et je lui servis mon discours de débutante-nerveuse-et-fébrile-honorée-de-faire-partie-de-ce-groupe-sélect. Enfin, je crois que mon interprétation était potable, car elle trépignait sur place pendant que Dunlop et les marraines installaient des chaises au beau milieu de la place.

Candide et moi furent rapidement conviées à prendre place pour tester quelques exercices de respiration.

– La respiration est le centre de notre travail, expliqua Ingrid sous l'œil avisé du professeur qui se tenait en retrait pour le moment. C'est notre respiration qui influence notre énergie, nos émotions, et qui donne un sens à notre texte de manière naturelle. Si la respiration ne va pas, notre jeu devient rapidement superficiel. À chaque début de rencontre, Didier nous fait faire des exercices de respiration. Nous allons vous guider aujourd'hui, pour que vous puissiez suivre le groupe mercredi soir. Ne faites pas le saut si nous posons la main sur votre ventre au passage. Ce n'est que de cette manière que nous pouvons vérifier si l'inspiration et l'expiration suivent le bon chemin. La sensation doit partir du ventre, et le mouvement doit monter vers le thorax et se rendre jusqu'aux épaules.

Ingrid et Joëlle se levèrent, jambes légèrement écartées, mains sur les hanches, doigts devant et pouces derrière, la tête inclinée vers l'avant. Elles expiraient brutalement… Assez pour nous surprendre, Candide et moi.

Nous ne savions pas que nous aurions droit à un premier cours, mais les «marraines» avaient entrepris d'occuper toutes nos soirées de la semaine jusqu'au mercredi suivant pour s'assurer que nous puissions être à la hauteur, disaient-elles.

Ce n'est qu'à 17 h 30 que nous retrouvâmes enfin notre liberté pendant que Joëlle et Ingrid discutaient sérieusement avec Dunlop dans son bureau, porte fermée.

– C'est beaucoup, tous les soirs… mentionnai-je à Candide une fois sortie du local.

– Je savais que c'était très exigeant, mais je vais tout faire pour être éligible au week-end de théâtre.

– Au week-end de théâtre? répétai-je, estomaquée.

– Didier ne t'en a pas parlé? Si nous nous distinguons dans nos cours, nous allons pouvoir profiter d'un stage de théâtre de trois jours avec lui! Je ne le savais pas non plus, mais il m'a rencontrée tantôt, dans son bureau, et il m'a dit que j'avais de bonnes chances. Il dit qu'il a été très impressionné par mon audition et que j'ai le potentiel requis pour devenir une excellente comédienne, en autant que je suive tous ses précieux conseils à la lettre.

Elle semblait soudainement plus exaltée qu'à mon arrivée. Et j'avoue que, de mon côté aussi, les exercices de respiration m'avaient mise dans un état de bien-être que je ne connaissais pas.

– Mais dis-moi, ils ouvrent l'école pour ça les week-ends ?

– Non, j'ai cru comprendre qu'ils font ça dans un chalet. Ce n'est pas gratuit non plus… Il va sûrement t'en parler.

– Et le costume, est-ce qu'il faut l'acheter ou il nous le fournit ?

– Quel costume ?

– Ben, l'espèce de soutane blanche…

– Hein ? Une soutane ?

Candide était curieuse, mais je ne savais plus trop si je pouvais parler allègrement ou s'il y avait des secrets sur ces sujets aussi, alors je coupai court à la conversation en fixant ma montre, prétextant que j'allais manquer ma mère et qu'on en reparlerait…

Et je n'avais pas vraiment menti cette fois. Il était presque 18 heures quand j'arrivai au Café Athéna. Bernard Johnson m'y attendait déjà dans sa luxueuse Lexus gris anthracite. Autant elle m'avait intimidée le premier matin, autant je retrouvais le confort de ses sièges en cuir noir avec soulagement.

– Fatiguée, notre comédienne ? me souriait-il.

– Un peu, oui… C'est que ça en prend de la concentration pour mentir comme ça !

Il rigolait maintenant.

– J'imagine oui… Est-ce que tu tiens le coup ?

– Tout à fait. Je crois que je suis en plein dédoublement de personnalité.

C'est la première fois que je faisais un peu d'humour avec lui, mais le résultat était concluant. Si j'avais à jouer la comédie à longueur de journée, je ne pourrais pas supporter de ne pas être au naturel, au moins le soir…

Et quelle soirée ce fut. Holly et Joyce nous attendaient à la porte de la maison. Nous allions célébrer le tout au restaurant. Cette attention me ramena à la vie.

Bernard Johnson avait même réservé une pièce privée pour nous assurer d'une conversation à l'abri des oreilles des autres clients. La grande classe encore une fois. Je commençais à y prendre goût…

Devant le menu, j'écartai toutefois docilement toutes les assiettes de viande pour jeter mon dévolu sur un plat de pâtes au fromage de chèvre, épinards et pesto, que je dévorai. Je dus freiner mes ardeurs pour répondre à toutes les questions et expliquer mes débuts au sein de la troupe, devant trois regards surpris par mes propos.

Au moment d'engloutir un dessert glacé monstrueux qui tranchait avec leur tisane, je les avisai toutefois du péché que je commettais sous leurs yeux.

– Je dois perdre 11 livres… leur déclarai-je.

– Pardon ?

Joyce semblait outrée.

– Dans le fond, ça ne devrait pas me faire de tort… appuyai-je.

J'en fus quitte pour un autre exercice de persuasion, cette fois pour me ramener délicatement à la raison. Visiblement, les Johnson n'allaient pas laisser Didier Dunlop agir sur moi de la sorte. Et j'avoue qu'il me faisait du bien de les entendre, si normaux…

En arrivant à la maison, Bernard Johnson souligna de nouveau mon exploit à grands traits.

– Je me doutais bien que tu serais bonne mais, Laura, tu es excellente. Je suis vraiment fier de ce que tu as accompli. Tu te rends compte ?

– Je suis très contente d'avoir réussi mais, honnêtement, je ne me rends pas compte de grand-chose pour le moment. Tout va très vite et je n'ai pas eu beaucoup de temps pour y réfléchir.

– Eh bien moi, j'y ai réfléchi. Au journal, toute la direction du *Métropolitain* suit ton aventure avec grand intérêt.

– Arrêtez. C'est vrai ?

– Bien sûr que c'est vrai. Laura, c'est une première pour nous. C'est tout à fait inhabituel ce qu'on fait là. Et c'est la raison pour laquelle je veux que nous prenions une bonne heure pour se parler demain. T'inquiète pas, je te laisserai dormir mais, après le déjeuner, il faut que nous discutions sérieusement.

– Il y a quelque chose qui ne convient pas ?

– Tout convient avec le travail que tu fais. C'est ton professeur qui ne me plaît pas vraiment.

Ne t'inquiète pas. Nous nous en reparlerons demain. Pour le moment, savoure ton succès et dors bien. Il y a quelque chose qui me dit que tu vas en avoir besoin, sourit-il.

Il y a un mois, celui qui m'aurait dit que Bernard Johnson saluerait mon travail et me souhaiterait bonne nuit comme un bon père de famille, je l'aurais traité d'illuminé.

Samedi 22 janvier, 10 h 30

En entrant dans le bureau de Bernard Johnson, je savais que quelque chose n'allait pas. Mes doutes se confirmèrent rapidement.

– J'ai une bonne et une mauvaise nouvelle, sourit-il faiblement. La bonne, c'est que je ne t'ai pas engagée pour rien… Et la mauvaise nouvelle, c'est que je ne t'ai certainement pas engagée pour rien.

Il m'inquiétait un peu, là.

– Je ne comprends pas…

Autant Bernard Johnson avait savouré avec moi mes succès la veille, autant ce jour-là, il semblait tracassé.

Il m'expliqua qu'il y avait plusieurs points qui clochaient dans les cours de Didier Dunlop. Les exercices de respiration passaient encore, mais il n'appréciait pas du tout la nouvelle alimentation, la soutane blanche, et encore moins l'atelier du week-end dans un chalet. Même si je tentais d'atténuer un peu ses craintes, je dus lui raconter en détails les arguments que Dunlop m'avait servis pour justifier tous ses précieux enseignements. J'en étais à me dire qu'il se tracassait pour pas grand-chose quand il me questionna sur l'attitude que le professeur prenait avec ses élèves. Sur sa proximité. Ses regards. Ses invitations dans son bureau. La loi du silence qu'il imposait. Et même sur l'attitude des jeunes filles avec lui.

– Je vais porter une attention particulière sur ce point, mais jusqu'à présent, je crois que les filles l'adorent. C'est comme si elles voulaient toutes qu'il soit fier d'elles.

– Est-ce qu'il cultive ça ?

Parfois, il avait des expressions que je saisissais mal.

– Cultiver… ?

– Essaie de remarquer s'il fait ou dit des choses qui culpabilisent les élèves ou qui les mettent en compétition les unes contre les autres pour s'attirer les faveurs du professeur.

Avec tout le respect que je lui devais, j'avais l'impression que M. Johnson exagérait, quoiqu'en répondant à toutes ses questions, je remarquais effectivement que Dunlop savait y faire…

– Vous croyez vraiment que Didier Dunlop puisse être incorrect avec ses élèves ?

– Disons qu'avec ce que tu me rapportes, j'ai de sérieux doutes sur ses méthodes. C'est la raison pour laquelle nous allons redoubler de prudence désormais.

Dorénavant, je devrais tout d'abord prêter une attention particulière aux rapports qu'il établissait avec les étudiantes et prendre des informations sur le stage du fameux week-end sans soulever de doutes autour de moi. J'allais aussi être équipée de nouveaux appareils…

Dans le cellulaire que j'avais en ma possession, on allait installer une puce qui permettrait à Johnson de savoir exactement où je me trouvais. Adieu mes rêves d'escapades avec Ian Mitchell…

– Cette puce, elle sera en ma compagnie tout le temps ?

Bernard Johnson esquissa un sourire devant mon air hébété.

– N'aie pas peur, ce n'est pas une puce qui pique, rigola-t-il avant de reprendre plus sérieusement. Elle sera en ta compagnie tout le temps, comme tu dis, mais ce n'est qu'une mesure de précaution. On ne s'amusera pas à surveiller tes allers et venues si on n'a pas une crainte particulière... Je vais aussi te montrer comment te servir d'une petite caméra dont on se sert parfois, dans des cas extrêmes, pour filmer des gens à leur insu.

Cette fois, j'entendais la chanson-thème de «*Mission Impossible*» dans ma tête. Thomas et Zoé ne me croiraient même pas! La situation était si bizarre que j'en perdais des bouts pendant qu'il poursuivait.

– Tu veux que je reprenne?

Cette fois, c'est moi qui souris, piégée.

– Vous voyez vraiment tout, n'est-ce pas?

L'homme riait de bon cœur.

– Voilà ce que ça fait des années à interviewer et à observer les gens de façon maladive, ironisa-t-il.

Non seulement j'avais de la difficulté à réaliser l'importance de la mission qui m'était confiée, mais je ne pouvais pas encore croire à la chance que j'avais de partager des bouts de métier avec Bernard Johnson! Chemin faisant, je constatais du même coup à quel point ce dernier était différent de Didier Dunlop et combien je me sentais plus à l'aise avec mon professeur de journalisme qu'avec le professeur de théâtre…

J'avais discuté avec lui pendant deux heures sans voir le temps passer. Il me donnait un tas de conseils pour observer les gens, pour scruter leurs attitudes, pour questionner sans éveiller de soupçons, pour alimenter certaines discussions sur des sujets délicats afin d'aller chercher un maximum d'informations.

Ceci dit, autant je savourais les moments passés avec les Johnson autant, lorsque je me retrouvais seule dans mon «loft», je ressentais le terrible ennui qui m'assaillait dès que mon esprit tombait au repos. Au premier rang de mes pensées arrivait désormais Ian Mitchell. Même avant Zoé et Thomas… réalisai-je.

En ce samedi, j'aurais tout donné pour passer ne serait-ce que deux heures avec lui. Quand mon esprit divaguait encore plus, j'en venais à maudire le fait d'avoir goûté à ses bras, à sa chaleur et à sa bouche à ce moment-ci de ma vie. Ça avait été juste assez pour créer un vide maintenant que j'en étais privée… Ces souvenirs devenaient douloureux comme je ne l'avais jamais imaginé.

C'est ce que je lui écrivis.

J'en étais à fixer mon écran dans l'espoir d'une réponse quand Joyce me héla, d'en haut.

– Laura, tu es demandée au téléphone…

Je m'attendais à entendre ma mère ou mon père puisque les autres communiquaient tous avec moi par Internet, mais la voix qui se fit entendre au bout du fil me plongea dans un état de béatitude…

– Salut beauté…

– Ian…

– C'est bien beau Facebook et les courriels, mais j'avais besoin d'entendre ta voix…

J'étais muette. Bouche bée. Touchée.

– Laura ?

– Oui…

Comble de malheur, un trémolo féroce faisait trembler ma voix et des larmes pointaient maintenant à l'horizon.

– Parle-moi un peu, je veux entendre ta voix dans mon oreille…

– Oui. Tu me prends un peu par surprise, là…

Je savais qu'il entendrait mon trouble. Et voilà.

– Oh, Laura… Moi aussi, j'ai un solide coup de cafard. Toute la semaine, j'ai lutté pour ne pas te téléphoner, mais ton courriel… Si tu savais à quel point moi aussi je déchirerais ma chemise pour passer deux heures avec toi. Et je te laisse deviner ce que je déchirerais pour y passer une nuit…

Je pleurais et je riais en même temps. Mon cœur était devenu un arc-en-ciel.

– Ç'aurait été plus simple s'il n'y avait pas eu cette soirée, tu ne trouves pas ? bredouillai-je.

– Je sais, c'est comme ça pour moi aussi, mais au moins, on sait à quoi s'en tenir, non ? Tout le temps que j'ai été dans le Grand Nord, je savais à quel point j'avais le goût de te revoir, mais pendant notre soirée, comme tu dis… C'est là que tout est devenu clair dans mon esprit. Et dans le tien aussi, je le sais.

– Je veux pas te faire peur Ian mais, si tu veux tout savoir, je ne sais plus comment t'enlever de ma tête.

Il rigolait.

– J'ai le même virus. Penses-tu qu'on est contagieux ?

J'avais beau avoir des larmes plein les joues, il parvenait à dessiner un large sourire sur mon visage.

– Je ne sais pas, mais une chose est sûre, c'est que ta bonne humeur est contagieuse…

– C'est ce qui est merveilleux avec toi, un petit rien te suffit…

– Ton téléphone, ce n'est pas rien, rigolai-je. Tu vas bien ?

– À part les vingt-trois heures sur vingt-quatre où je me morfonds de ne pas t'avoir près de moi, ça va très bien. Mais toi, là-bas, est-ce que tu te sens seule ? Comment ça se passe au juste ? J'ai pas envie qu'un collégien entreprenne de te consoler, hein ? Je connais ton talent pour te faire prendre en otage…

Les nuages s'étaient éclipsés totalement cette fois et avaient emporté mes larmes avec eux.

– Ian, je suis dans un collège de filles !

– Hein ? Ça existe encore, ça ? Il n'y a pas de gars ?

– Non. Pas un, sinon les profs…. Et il n'y en a pas un qui t'arrive à la cheville !

– Ce n'est même pas la peine de chercher, tu ne trouveras pas…

J'adorais son assurance.

– Mais sans blague, reprit-il, ça ne doit pas être évident de se retrouver avec des étrangers partout autour de toi.

– Justement, c'est ça qui est lourd un peu… Habituellement, j'ai toujours mon amie Zoé ou mon frère Thomas autour de moi et je me rends compte à quel point ils me manquent eux aussi. Je me sens loin de vous tous, en fait. La famille Johnson est vraiment adorable, ce sont des gens super gentils et ils font tout ce qu'ils peuvent pour me rendre la vie agréable, mais ce n'est pas pareil… Je ne peux pas tout leur dire. Des fois, j'ai l'impression de vivre un rêve et, la minute suivante, si je pense à toi, je me retrouve en plein cauchemar…

– Ben là… Je ne suis pas sûr d'aimer ce que tu dis…

– Je veux dire que c'est un cauchemar de savoir qu'on ne se verra pas ! Pour le reste, c'est très doux de penser à toi…

– Laisse-moi faire, je vais m'organiser pour que tu vives toujours un rêve avec moi… Ce n'est qu'une question de temps, beauté !

– Je n'ai aucun doute là-dessus, rigolais-je.

– Dis-moi, reprit-il, est-ce que tes parents sont au courant que j'existe ?

– Jamais de la vie… J'ai bien trop peur de leur dire…

– Oui, mais on ne pourra pas se cacher comme ça éternellement !

– Je sais, je cherche une île déserte à louer actuellement… T'aurais pas vu passer ça sur Internet ?

Son rire me plongea encore plus dans ma mélancolie.

– Sérieusement, je ne peux vraiment pas leur en parler tout de suite, repris-je. Déjà qu'ils se sont fait violence pour me permettre de remplir la mission de Bernard Johnson…

– C'est fou quand même ta vie. Tu te rends compte à quel point tu es chanceuse, Laura ? Ma vie est un long fleuve tranquille comparée à la tienne.

– Zoé m'a dit sensiblement la même chose… Mais tu vois, c'est ça le pire. Je suis tellement dans un tourbillon que j'ai de la difficulté à juste réaliser ce qui m'arrive. Je peux te dire que je vais m'en souvenir longtemps de mes quinze ans…

– Et cette mission, justement… Tu peux m'en parler un peu, espèce de Lara Croft ?

Je sentis son inquiétude pointer à mesure que je lui expliquais ma semaine au sein de la troupe.

– Laura, ton Dunlop, je ne lui fais pas trop confiance, moi…

– Ne t'inquiète pas. Bernard Johnson s'inquiète pour deux.

– Ouin, ben finalement, je ne suis plus sûr que ce soit une bonne chose qu'il n'y ait pas de gars dans ce fichu collège…

– Mais non, arrête. Johnson vient justement de me mettre en garde sur des centaines de points. Il ne peut rien m'arriver. Si tu savais toutes les précautions qu'ils ont prévues au *Métropolitain*…

– Au *Métropolitain*! Je n'arrive pas à y croire. Sais-tu au moins à quel point tu joues dans les ligues majeures?

– Je le sais. Je n'arrive pas à le réaliser moi non plus. Par contre, les semaines à venir ne seront pas de tout repos, je crois… C'est un peu stressant tout ça, je te jure.

– J'imagine… Mais Laura, dis-toi bien une chose. Le plus vite cette histoire de troupe de théâtre va être éclaircie et le plus vite tu vas revenir chez vous. Et là, je te jure que je ne te laisserai plus m'échapper aussi facilement. Je vais t'avoir tout à moi! Ben presque… Un peu tout à moi, disons… Alors s'il te plaît, concentre-toi beauté!

Il ne se doutait même pas à quel point il pouvait me faire du bien.

– Ian?

– Pardon?

– J'ai juste dit: Ian?…

– Excuse-moi, j'ai pas compris.

– IAN!

Il riait.

– J'aime ça quand tu prononces mon prénom… Une dernière fois…

– Ian Mitchell!

– Oui? Laura St-Pierre …

– Tu m'as fait perdre mon idée…

– Tu me fais marcher?

– Non, je te jure. Je ne sais plus ce que j'allais te dire…

– Tu disais: Ian?…

– Laisse tomber, ça me reviendra plus tard.

– Tu voulais peut-être me dire que je te manque ?

– Oui, c'est sûr, mais ce n'était pas ça…

Il me gelait totalement le cerveau, ce gars.

– Ah, je sais. Tu voulais me dire que tu discuterais avec les Johnson pour pouvoir m'inviter et que le week-end prochain, tu m'attendrais dans ton loft…

– Mais non… Je ne peux pas faire ça. Si je le pouvais, ce serait déjà fait, je te jure.

– Je sais bien… J'essaie encore de trouver un truc. C'est pas simple ton affaire…

– Oh, j'ai retrouvé. Je voulais juste te dire que pour moi aussi… c'est la première fois que je vis ça…

– Huuummmm…

J'entendais sa respiration au bout du fil.

– Je suis fou de toi, Laura. Dépêche-toi de nous revenir… sinon, je pense que je vais aller me présenter moi-même à tes parents !

– T'es malade.

– Bonjour, moi c'est Mitch, imitait-il. Je passe pour le recensement. Mes papiers nous indiquent que Laura St-Pierre aura dix-huit ans le 16 mai prochain. Vous nous avez menti pendant toutes ces années… Ça nous prendrait son certificat de naissance maintenant…

Son imagination ne prenait aucun repos. Mais il disait tellement de choses à travers ses pitreries.

– Tu penses que je veux te faire patienter jusqu'à mes dix-huit ans ? rigolais-je.

– Je pense que tu sais que ce serait impensable pour moi… Je crois que, juste pour moi, tu envisagerais peut-être… tes seize ans ?

– Possible… Et ça t'irait ?

– Oooooh que oui.

– Et tu serais… compréhensif, considérant que ce serait une première fois pour moi ?

– Je prendrai soin de toi Laura, t'as même pas idée, souffla-t-il jusqu'à ce que, de nouveau, le trouble s'empare de nous.

Je ne trouvais aucun mot pour répondre à cela. C'est encore lui qui sauva la mise.

– Tu vois un peu comment on est ? Même le téléphone ne nous résiste pas…

Lundi 24 janvier, 16 heures

J'étais arrivée une demi-heure avant le début des cours ce matin-là, gonflée à bloc, et j'absorbais la matière en classe avec l'esprit vif.

Plus vite j'éclaircirais cette histoire, plus vite je retournerais à Belmont. Les paroles de Ian s'étaient incrustées dans mon cerveau jusqu'à me faire redoubler d'ardeur et d'ambition. Didier Dunlop n'avait qu'à bien se tenir… Il ne savait même pas à quel point je serais sur son cas!

Même l'idée de retrouver Ingrid pour notre rendez-vous quotidien de 16 heures me plaisait désormais, c'est dire. J'entrai dans le local de théâtre revigorée. Des yeux tout le tour de la tête. À l'affût. Grrrr.

Candide était déjà là, un peu assombrie il me semblait. Je lui lançai un clin d'œil joyeux qui la surprit, mais qui la fit sourire. Je repris toutefois rapidement mes airs d'oiseau blessé dès que Dunlop s'adressa à moi.

– Laura, tu me sembles dans une forme splendide aujourd'hui, me glissa-t-il, suspicieux.

– C'est que j'avais tellement hâte à mon cours… Vous n'avez pas idée, monsieur Dunlop… Mes week-ends sont un peu moches par les temps qui courent, j'avoue. Ma mère a travaillé toute la journée samedi et hier, elle était tellement crevée qu'elle a dormi presque tout le temps. Le théâtre, c'est vraiment ma raison de vivre actuellement…

– Dans ce cas, je pourrais peut-être te proposer bientôt un week-end de type différent. Plus théâtral, disons.

Il aimait bien sa blague et semblait visiblement ravi de mes propos. À nous deux, animal.

– Tu sais, Laura, mes filles m'appellent Didier habituellement. Monsieur Dunlop, c'est un peu vieux pour moi, roucoula-t-il.

– Parfait Didier. Tout ce que vous voulez.

– Ce que TU veux…

– Pardon. Que tu veux… souriais-je.

Faudrait penser à ne pas en mettre trop non plus.

– Ok «*girls*»… Alors aujourd'hui, vous allez me montrer de quel bois vous vous chauffez sur scène, reprit-il en s'adressant à Candide et à moi-même. On va commencer par un essai. Je vous donne trente minutes pour lire et mémoriser la scène que je vous propose et trente autres minutes pour pratiquer le tout avec vos marraines. Dans une heure, on essaie ça sur les planches!

Le regard en mode observation, je notai qu'Ingrid et Joëlle obéissaient à chacune des consignes du maître et que ce dernier les gratifiait régulièrement de flatteries, auxquelles il ajoutait parfois quelques gestes affectueux. Il les touchait beaucoup, et les deux marraines n'en faisaient aucun cas. Je dirais même qu'elles semblaient apprécier.

Je préparai la scène avec Ingrid en tentant de quitter un peu mon enquête pour relever le défi, côté théâtre. Le texte à apprivoiser provenait d'une scène de film qui mettait en vedette une femme prénommée Hélène qui venait de se faire quitter par son époux au beau milieu d'un aéroport. Elle y errait depuis, jusqu'à s'y installer en vivant des fruits de la prostitution… Du joli, quoi. C'est sa sœur Isabelle, interprétée par Ingrid, qui tentait de la sortir de cette impasse et qui retrouvait ce jour-là Hélène en train de déjeuner.

– *Hélène? Ça fait une heure que je te cherche partout, je n'arrivais pas à croire que c'était toi. Qu'est-ce que tu as fait à tes cheveux? Tu es méconnaissable*, lança subitement Ingrid en mordant dans sa première réplique.

– *Je les ai teints, ça ne se voit pas? Je ne suis pas assez à ton goût? Qu'est-ce que tu fais ici?* lançai-je, sous le coup de l'exaspération ressentie par Hélène.

Mon exaspération était bien incarnée. Facile. Je n'avais qu'à penser à Ingrid qui me talonnait depuis des jours et qui me posait un tas de questions sur ma vie privée tout en demeurant évasive à chacune des miennes.

Je ne pouvais toutefois faire autrement que de lorgner, du coin de l'œil, la scène qui était pratiquée plus loin par Candide. Ma consœur était totalement concentrée, sous le regard absolu de Dunlop qui ne la quittait pas des yeux.

La pratique fut intensive et je m'aperçus que je prenais de plus en plus plaisir à me glisser dans la peau de mes personnages. Je ne pus toutefois que louer le travail de Candide quand, en deuxième portion de cours, elle présenta le résultat de son extrait. Dans le rôle de la jeune fille éplorée, elle était tout à fait crédible.

J'attendais de la retrouver à la sortie du cours pour la féliciter lorsque j'entendis le professeur la réclamer dans son bureau pour un entretien seul à seul. Dunlop surprit mon regard et ajouta fièrement :

– T'inquiète pas Laura, ton tour va venir. Demain, je me réserve tout à toi…

Je n'en demandais pas tant.

Rien ne pressait pour moi ce soir-là, ce qui m'incita à attendre Candide, histoire d'en savoir un peu plus sur sa rencontre. Je connaissais le lieu de son casier et c'est à cet endroit que je m'assis, par terre, mangeant un muffin et plongeant mon nez dans mes manuels de géographie en prévision du test du lendemain. J'étais complètement absorbée par la matière, quelque part dans les déserts chauds du globe quand, une bonne heure plus tard, Candide me fit sursauter.

– Laura ? T'es encore ici ? lança-t-elle joyeusement.

– Euh, oui…

– Tu ne serais pas mieux chez toi pour étudier ?

– Je ne peux pas rentrer tout de suite. Ma mère termine à 20 heures à l'hôpital et j'ai oublié mes clés ce matin… Je dois l'attendre.

– Ta mère travaille à l'hôpital ? fit-elle en débloquant son cadenas.

– Oui, à l'administration.

Je la sentais sur le point de partir et je ne savais trop comment la retenir.

– Et la tienne?

– La mienne…

– Ta mère?

– Oh, la mienne ne fait pas grand-chose. Depuis la mort de mon père il y a deux ans, elle a quitté son emploi et vit de ses rentes de veuve… Elle magasine beaucoup, par contre. Justement ce soir, elle a rendez-vous avec un décorateur à la maison… fit-elle en levant les yeux au ciel.

– Qui vient te chercher alors?

– Personne, je prends l'autobus.

– Ok, alors je t'accompagne, observai-je prestement en me hâtant de revêtir mon manteau moi aussi.

– Mais puisque tu ne peux pas rentrer chez toi…

– Je ne rentre pas tout de suite, je vais aller souper au petit casse-croûte pas loin de l'arrêt d'autobus. Tu crois que ta mère s'objecterait si je t'invitais à souper?

Elle sourit.

– En fait, je crois qu'elle ne s'en rendrait même pas compte…

– Parfait alors. Je t'emmène avec moi!

Les conversations étaient légères avec Candide, qui semblait rayonner beaucoup plus qu'en début de séance de théâtre. Ce n'est qu'une fois que nous furent attablées devant nos fichues salades plates que je me risquai.

– Dunlop me rencontre demain. J'espère qu'il va me parler du week-end de théâtre. Depuis que tu m'en as glissé un mot, j'en rêve!

– Tu ne lui en a pas parlé j'espère ?

– Non. Tu crois que c'est un secret ?

– Je crois qu'il te réserve la surprise, souffla-t-elle à demi-mots.

– Oh toi, tu en sais plus que ce que tu en dis, n'est-ce pas ?

Elle se contentait de sourire, mais je devinai qu'il n'en faudrait pas trop pour la cuisiner. Candide était très mauvaise menteuse et m'apparaissait plus du genre « livre ouvert ».

– Je te jure que je ne dirai rien, Candide ! S'il te plait, dis-moi… Il va m'inviter, c'est ça ?

– Bien sûr… En fait, toi et moi, nous avons un laissez-passer direct ! Il m'a même dit que ce serait spécial pour nous deux puisque nous serons officiellement intronisées dans la troupe. On part dans trois week-ends !

Un frisson me parcourut. Dans les faits, je ne savais plus réellement si j'en étais heureuse ou pas, un sentiment diffus que je cachai sous un vent d'enthousiasme apparent. On m'aurait réservé une place dans un concert de Simple Plan que je n'aurais pas affiché un air plus joyeux.

– T'es certaine ?

– Tout à fait. Il vient tout juste de m'apprendre la nouvelle. Il n'a pas voulu m'en dire beaucoup plus toutefois. Si tu veux mon avis, je crois qu'il préfère nous réserver quelques surprises… Il y a une seule chose que je sais, c'est que c'est lors de ce week-end qu'il va nous remettre notre costume officiel… Je l'ai même essayé. C'est intimidant hein, d'enfiler ça devant lui ?

– Oui, mais toi, au moins, tu es toute menue. Moi j'étais plutôt à l'étroit là-dedans avec mes vêtements… rigolai-je

– Tes vêtements ? Tu as gardé tes vêtements ?

– Bien sûr, pas toi ?

Cette fois, elle paraissait embarrassée.

– J'ai gardé mes sous-vêtements, évidemment…

– Et pas tes vêtements ?

– Euh, non, je devais les enlever…

– Dans son bureau ? Devant Didier ?

– Oui, mais bon, Didier s'est viré de bord, évidemment. Tout de même, je l'ai trouvée un peu transparente cette robe blanche. Surtout que mes sous-vêtements étaient mauve foncé…

Je souriai pour lui dissimuler mon étonnement, mais j'étais estomaquée.

– Et il t'a fait tourner, évidemment…

– Oui, c'est ça, rigolait-elle. Laura, si tu savais à quel point je suis heureuse de faire partie de cette troupe ! Je pense que je ne me suis jamais fait complimenter comme ça de ma vie. Ça fait du bien à l'ego…

J'acquiesçai, comme s'il en était ainsi pour moi aussi et, surtout, pour ne pas couper son élan.

– C'est vrai que tu es plutôt fantastique, je te regardais jouer tantôt… Wow ! la complimentai-je à mon tour sans même avoir à feindre. Tu étais complètement dans ton personnage. Imagine quand tu auras des décors et des accessoires autour de toi ! Tu vas nous happer complètement !

Ses yeux pétillaient. Il était facile de lui faire plaisir.

– C'est quoi ton truc ? poursuivis-je, flatteuse.

– Bah… fit-elle, timide. Toi non plus, tu ne donnes pas ta place. Didier était très fier de toi également. Il me l'a dit…

– Ah oui ?

– Il dit que nous sommes toutes les deux très différentes. Mais je vais lui laisser le soin de t'en parler lui-même…

– Oh ! Dis-moi… S'il te plaît…

Je faisais celle qui ne se possédait plus. Candide rigolait de me voir si pressante mais, cette fois-ci, rien n'y fit.

– Non, vraiment, je t'en ai assez dit comme ça… Je te laisse le plaisir de l'apprendre de sa propre bouche. Sa manière de dire les choses… C'est… C'est magnifique… Et ses yeux bleus nous transpercent, n'est-ce pas ? Son regard, moi, il m'hypnotise !

Encore une fois, je demeurai bouche bée. Cet air-là… Je suis persuadée que c'est celui que j'affiche quand je parle de Ian…

Mardi 25 janvier, 17 h 50

Ce jour-là, je pensais que notre atelier ne se terminerait jamais. Didier Dunlop nous avait bien fait faire quelques exercices d'art dramatique avec Joëlle et Ingrid, mais il nous avait surtout incitées à nous « souder » au groupe, en prévision du cours « officiel » de mercredi, alors que nous serions enfin avec « la grande famille », disait-il.

Et pour intégrer réellement la troupe, il soulignait qu'il n'y avait rien de tel que de donner sa confiance aux autres et que, pour nous aider en ce sens d'abord auprès de lui et de nos marraines, nous avions avantage à nous confier, à nous abandonner.

Il nous avait d'ailleurs sérieusement préparées à nous « livrer » par le biais d'une méditation dirigée à travers laquelle il nous encourageait à alimenter les sources de notre art et à faire remonter à la surface une peine que nous avions camouflée à l'intérieur de nous et qui risquait de porter ombrage à nos performances sur scène.

Il nous invitait à nous libérer de ce poids accablant. Il fallait cultiver notre sensibilité, la vénérer même, puisque c'est elle qui nous permettrait de vivre intensément les textes qui nous seraient soumis au fil de notre « carrière » de comédienne.

Les yeux fermés, nous mettions à profit nos exercices de respiration sous la vigilance des marraines alors que lui continuait à parler, toujours sur la même tonalité.

– Vous allez devenir de grandes actrices. Vous serez bientôt en mesure de vous démarquer à la seule lecture d'un texte… Déjà, on aura l'impression que votre personnage existe vraiment. Quand vous me ferez découvrir votre texte, j'entendrai qu'il résonne intimement. Je serai saisi par la résonance intérieure qui se passera entre le texte et vous. Votre performance sera zen, réfléchie, simple, fluide. Vous serez dotées d'une sérénité, d'un silence intérieur sur lequel vos mots viendront se déposer…

J'étais déconcentrée, cette fois-ci, du fait que j'avais lu ces mots presque textuellement dans un manuel de théâtre que m'avait offert Élisabeth Murray. Un livre tout à fait intéressant d'ailleurs…

– Mais pour ce faire, vous devez vous libérer de ce qui entrave votre liberté de ressentir. Vous devez évacuer les idées négatives, les émotions douloureuses… poursuivait-il.

Ça, ce n'était pas dans le livre.

– Réfléchissez à un moment de votre vie qui a été difficile pour vous. Pensez à un moment où vous avez senti que votre vie était mise en suspens, que la douleur prenait toute la place… récitait-il.

Au sortir de cette méditation, j'avais le cœur en charpie en songeant à l'épisode de Simon perché sur son arbre. Ce n'était toutefois rien en comparaison de l'état dans lequel je retrouvai Candide, complètement en pleurs. Mon élan vers elle, ne serait-ce que pour lui signifier mon appui, fut toutefois interrompu par Didier Dunlop, qui me somma un peu brusquement de revenir à ma place et de la laisser vivre ses émotions.

La peine qui avait été soulevée durant la méditation de mon côté en songeant à Simon fit rapidement place à une colère sourde dirigée contre Dunlop qui avait visiblement chamboulé le cœur de mon amie. Autour de moi, Ingrid et Joëlle semblaient tout à fait en accord avec son intervention à mon endroit et avec le fait qu'il encourageait Candide à faire confiance à « sa famille ».

– Laisse tes yeux fermés, Candide, et laisse-toi aller. Dis-nous ce qui te fait pleurer, poursuivait le « maître à penser »…

La douce raconta les événements d'une soirée où elle fut témoin d'une brutale confrontation entre son père et sa mère. Elle avait parlé d'abord avec hésitation, puis avec moins de retenue au fur et à mesure qu'elle décrivait la scène, suivant les questions de Dunlop qui voulait en connaître tous les détails « pour bien imaginer la scène », disait-il, comme si on parlait de théâtre !

Ce soir-là, racontait Candide, elle avait compris que, n'eût été le cancer qui s'était mis à gruger son père peu de temps après cette solide altercation, ses parents se seraient assurément séparés. En fait, les chicanes s'étaient perpétuées entre les deux conjoints, qui rivalisaient de violence dans leurs propos, jusqu'à ce que la maladie change le comportement de sa mère du tout au tout.

Dunlop continuait à la talonner de ses questions en sondant comment elle se sentait à ce moment-là et comment elle se sentait maintenant en revivant le drame. Les yeux toujours fermés, Candide poursuivait, de plus en plus troublée. Le pire moment de son témoignage survint lorsqu'elle poussa la confidence jusqu'à avouer un sentiment de culpabilité qui la tenaillait et qu'elle cultivait depuis tout ce temps.

À intervalles réguliers, Didier Dunlop appuyait sur sa douleur. « Tu devais te sentir défaite, isolée, impuissante », suggérait-il avec une indiscrétion qui, dans le groupe, semblait être perçue comme de la bienveillance.

Mon amie continuait de se dévoiler avec une candeur qui me faisait mal. Elle avouait désormais croire que sa mère avait joué la comédie au chevet de son père alors que, dans les faits, elle la soupçonnait d'avoir été soulagée de voir son mari quitter ce monde. Candide détestait sa mère en silence depuis ce temps et ne trouvait plus de liens affectifs dignes de ce nom avec elle. Son père lui manquait terriblement et sa rancœur à l'égard de sa mère était difficile à gérer.

– J'en viens presque à penser parfois que ma mère ne serait pas si triste que ça si j'étais moi-même fauchée par la mort… ou si je la provoquais. J'y pense, parfois… lâcha-t-elle entre deux sanglots.

Personne ne semblait faire cas de ses propos, sinon pour acquiescer stupidement. À demi-mots, Candide parlait pourtant de suicide !

À l'issue de son témoignage, j'en avais pratiquement oublié l'histoire personnelle que je m'étais imaginée pour répondre à cette invitation à l'épanchement quand Didier Dunlop me signala qu'il attendait que je me raconte à mon tour… J'étais tellement préoccupée par Candide que j'eus du mal à incarner la supposée peine de ma vie.

– Personnellement, mon père n'est pas décédé, mais c'est tout comme désormais…

Je leur inventai que le divorce de mes parents avait été la pire épreuve de ma vie, que ma mère avait souhaité changer de ville et qu'elle l'avait choisie si loin, cette ville, que le contact avec mon père était devenu très difficile. Mais le pire, dans cette séparation, c'est que je réalisais désormais que mon père ne semblait pas trop bouleversé par le fait de ne plus me voir… J'avais beau l'appeler, deux fois sur trois, je tombais sur sa boite vocale, et il ne daignait même plus retourner mes appels.

Non seulement ma mère était devenue pratiquement inaccessible dans son souci de se créer une nouvelle vie, mais je devais aujourd'hui me rendre à l'évidence que j'étais aussi devenue orpheline de père. Je me sentais seule, délaissée, rejetée, sans défense… et je ne savais plus comment gérer toute cette peine.

Dunlop reprenait le même manège avec moi, me glissant sournoisement des questions ici et là pour que je me dévoile davantage, mais j'étais difficile à atteindre. C'est en usant de toutes les ressources de théâtre que m'avait enseignées Élisabeth Murray que je leur fis croire que, devant cette situation, j'étais renversée par le chagrin.

Plus je leur racontais mes improvisations, plus j'en mettais. Seules les larmes ne suivaient

pas mais, dans les circonstances, je savais néanmoins que je venais de leur servir ma meilleure
interprétation. J'en étais vidée quand je tentai de
suivre rapidement Candide jusqu'à la porte de
sortie dès la fin du cours...

– Laura, tu n'as pas oublié notre rencontre?
intervint Dunlop en coupant mon élan.

Je tentai d'inventer une excuse pour m'éclipser,
n'importe laquelle, mais les ressources de mon
imagination étaient épuisées. Aucune idée ne vint
à mon secours. C'est donc avec résignation que je
me dirigeai vers son bureau, sous son regard de
nouveau suspicieux.

Dunlop ne me laissa d'ailleurs aucune chance.
Il n'était pas encore assis qu'il me questionnait
déjà sur ce que ça m'avait fait de me livrer ainsi...
Devant mon hésitation, il prit un ton paternel.

– L'exercice que je vous ai fait faire aujourd'hui
peut avoir été difficile sur le coup, mais je te jure
que ce sera bénéfique... Je te parie que, dans quelques heures, tu te sentiras plus légère... Tu étais
très attachée à ton père, n'est-ce pas?

– Oui, mais puisqu'il ne se souvient plus qu'il
a une fille... mentis-je de nouveau en espérant
clore le sujet une fois pour toutes.

– Tu sais, Laura, tu vas rencontrer sur ta route
des gens qui vont t'aimer comme tu le mérites...
Moi, par exemple, tu sais que je suis là maintenant
et que tu peux tout me dire...

– C'est gentil... balbutiai-je. Comme je vous
ai dit, je suis dans une période de ma vie où je me
sens plutôt seule au monde...

– Justement, ma belle, j'ai une agréable proposition à te faire, sourit-il avant de me parler enfin du week-end de théâtre qui m'était réservé.

Je m'attendais à en apprendre pas mal plus de sa bouche, mais il demeurait vague sur notre occupation du temps là-bas. Il se chargeait par ailleurs lui-même de nous conduire au chalet grâce à la location d'un mini van qui nous assurerait de faire du trajet une occasion de nous «souder», encore une fois. Il aurait dû être soudeur, ma foi. Il en faisait une obsession!

Je continuais néanmoins à réagir à chacune de ses phrases comme s'il me proposait un voyage dans les splendeurs d'Hawaï. Je restai cependant bouche bée quand il me parla des coûts reliés qui s'élevaient tout de même à 500 $... Je commençais à coûter cher au *Métropolitain*, songeai-je, mais plus les choses évoluaient, plus je savais que le journal n'avait pas investi en vain.

L'épisode de Candide m'en avait convaincu plus que jamais. Dunlop était assurément malsain. J'en perdais le fil de ses idées... L'homme était cette fois en train de me complimenter à mon tour, cherchant évidemment à me faire plaisir et à me vendre aussi bien ses talents d'enseignant que mes supposés talents scéniques.

– Tu es une intense, Laura. Je le sens... Tu possèdes une qualité rare, un romantisme noir, tragique même... Cette qualité est précieuse. Elle va te servir sur scène... Si tu me laisses te guider, tu seras surprise de la profondeur des émotions qui peuvent en surgir et qui alimenteront ton jeu.

Il m'irritait. J'avais de plus en plus de mal à feindre mon admiration sans borne pour lui, tellement que je dus inventer quelque chose pour m'en sortir lorsqu'il me questionna sur ce qui n'allait pas…

– Ce sont les sous, Didier… Je ne sais pas si ma mère va être capable de me payer mon week-end de théâtre. Et je ne manquerais ça pour rien au monde! Si je ne peux pas suivre cet atelier intensif, je vais avoir l'impression de manquer le train et de rester sur le quai…

Je me surpris à me raccrocher si solidement à cette improvisation, de peur qu'il ne se rende compte de quelque chose, que j'en arrivais presque à me croire! Mes yeux étaient pleins d'eau maintenant!

Dans un élan qui me figea sur place, Didier Dunlop entreprit cette fois de me rassurer en s'avançant vers moi, en prenant ma main jusqu'à ce que je me lève devant lui et en m'enlaçant tendrement tout en flattant mes cheveux!

– Doux… Doux… disait-il. Ne t'inquiète pas, je suis là et je ne te laisserai pas tomber, moi. Je ne te laisserai pas seule sur le quai. Je t'emmène avec moi, c'est certain. Avec nous… Si ta mère ne peut pas t'offrir ce week-end, alors nous nous organiserons autrement. Je peux t'échanger ça contre quelques services pendant l'année… Je l'ai déjà fait pour d'autres élèves qui étaient dans la même situation que toi. Ça te va, ça? dit-il en me prenant cette fois les épaules pour me fixer de ses yeux perçants.

– Oh, je vais t'en devoir toute une… balbutiai-je, comme si j'étais immensément reconnaissante.

Sa main descendit dangereusement le long de mon dos. À ce moment, ce fut plus fort que moi. Je me tassai prestement et pris soudainement peur qu'il en soit irrité. En désespoir de cause, je laissai tomber mon bracelet au sol et me penchai pour le reprendre comme si c'était ce que j'avais voulu faire au départ… Mais quand je me relevai prestement pour scruter sa réaction, je surpris plutôt son regard sur mon profil arrière. Si bien que cette fois, c'est lui qui détourna rapidement l'attention.

– Est-ce que ça te va mon idée, Laura ? roucoula-t-il.

– Oh oui… Mais je vais faire ce que je peux pour convaincre ma mère et t'épargner tout ça… J'y vais de ce pas d'ailleurs ! souriai-je tristement en prenant enfin la porte.

– Dors bien surtout ! Je te veux en forme pour le cours de demain ! rayonnait-il.

J'étais sonnée en me retrouvant fin seule dans le corridor, mais ma première pensée se dirigea instinctivement vers Candide, que j'espérais vive-ment retrouver quelque part autour de son casier. Mais même en hâtant le pas, c'était peine perdue. Elle était partie.

Mardi 25 janvier, 20 heures

Au seul timbre de ma voix au téléphone, Bernard Johnson avait compris que j'arrivais avec de nouveaux éléments. Sa Lexus était arrivée en trombe dans le stationnement du café Athéna et il avait écouté religieusement mon récit. Je ne lui avais épargné aucun détail sur la route qui nous menait chez lui et j'avais poursuivi à la table du souper, où je pris tout juste le temps d'ingurgiter quelques bouchées du succulent osso bucco de Joyce, pendant qu'il lui résumait le début de mon histoire pour qu'elle puisse se joindre à la conversation.

Bernard Johnson, qui était constamment d'un calme olympien, était nerveux pour ce qui me semblait être la toute première fois… Il faut dire que les choses semblaient s'enchaîner beaucoup plus rapidement que ce qu'il avait cru au départ. J'en étais tout aussi éberluée. Et stressée.

Le week-end de théâtre était fixé aux 11, 12 et 13 février… J'avais beau trouver fort agréable l'idée que toute cette histoire se termine au plus vite pour avoir la chance de retrouver mon école, ma famille et les bras de Ian Mitchell, je devais m'avouer que le passage obligé au chalet commençait à me foutre la trouille.

Contre toute attente, Bernard Johnson appuya encore davantage sur l'accélérateur de mes nerfs en évoquant l'idée d'informer désormais les policiers. Il n'avait toujours aucun élément suffisant pour convaincre les autorités d'ouvrir une enquête, mais il possédait plusieurs connaissances auprès des forces policières et songeait à les aviser de se tenir prêts, les 11, 12 et 13 février, juste au cas où on aurait besoin d'eux.

Voilà des semaines que le journaliste fouillait le passé de mon prof de théâtre à la recherche d'indices douteux sur lui, mais rien n'y faisait. Didier Dunlop avait toujours été un célibataire endurci, habitait dans un modeste quatre et demi non loin du collège et semblait n'avoir aucune autre passion que le théâtre, à part pour certains voyages en Thaïlande et autres escapades à New York de temps en temps.

Johnson semblait perdu dans ses pensées. Il cherchait le dessert dans le réfrigérateur depuis un bon cinq minutes quand Joyce, qui était affairée au thé, s'aperçut de la manœuvre et le poussa délicatement.

– Bernard, laisse-moi faire s'il te plaît.

Sa délicatesse, son tact, me firent sourire. Elle se chargea du gâteau pendant que son mari faisait les cent pas entre le réfrigérateur et la table de cuisine, ce qui me fit éclater de rire cette fois. Joyce comprit quelle scène me faisait rigoler et me renvoya un sourire accompagné d'un air faussement exaspéré qui ajoutait au cocasse de la situation.

Je ne pus m'empêcher de blaguer.

– Vous croyez qu'on devrait l'écarter du dossier, Joyce ?

Cette fois, c'est elle qui s'esclaffa.

– Je l'aime, cette fille ! lança-t-elle à son mari qui ne se rendit compte qu'à ce moment qu'on se payait un peu sa tête.

Avec toute l'élégance qui le caractérisait, il m'esquissa un léger sourire en retrouvant sa place au bout de la table.

– Effectivement, on en a déniché toute une, hein ? enchaîna-t-il, l'air un peu plus dégagé cette fois.

Je réalisai d'emblée que je commençais à me sentir assez à l'aise avec eux pour me permettre d'ironiser, ce qui n'était pas peu dire... Mais davantage, en les regardant tous les deux s'activer tout en complicité, je pris conscience ce soir-là que ce couple me manquerait quand tout serait fini. Secrètement, je rêvais de ce type de complicité entre Ian et moi, un jour...

Bernard Johnson était pour sa part revenu prestement à ses réflexions. Il était convaincu que s'il y avait une manière de coincer Didier Dunlop, ce serait inévitablement lors de ce week-end d'ateliers au chalet. Et je sentais qu'il avait raison. D'ailleurs, je réalisais que tous les soupçons émis par la famille Johnson étaient apparemment bien fondés.

Je m'en voulais même d'avoir songé à une exagération de leur part. Pire, je me disais que s'ils ne m'avaient pas inondée de précautions à prendre et d'observations à faire, je n'aurais sans doute jamais remarqué à quel point les gestes et les paroles de Didier Dunlop pouvaient éveiller des soupçons. J'aurais probablement embarqué dans cette galère en me rangeant à ses arguments, comme les autres filles...

Je leur confiai ces réflexions en toute transparence. Je leur devais bien cela.

– Tu te trompes, Laura, nota toutefois M. Johnson. Même si nous n'avions pas été là pour te faire prendre conscience des manœuvres de Dunlop, tu ne serais pas tombée dans son piège. Au pire, tu aurais mis un peu plus de temps à le cerner, mais tu l'aurais fait.

– J'aimerais en être aussi certaine…

– Crois-moi, tu n'as ni la personnalité, ni le vécu pour t'y laisser prendre.

– Mais je vous assure que Candide est une fille bien, qu'elle est très intelligente et pourtant, je crois qu'elle est même en train de s'amouracher de lui…

– Ce n'est pas du tout une question d'intelligence ou de bonne famille, précisa-t-il. Les types comme Dunlop, si nous avons vu juste sur ses agissements, s'attardent sur des gens qui peuvent être tout à fait biens, mais qui se retrouvent en position de vulnérabilité, en déséquilibre dans leur vie, en quête de quelque chose susceptible de combler leur vide affectif. Les familles éclatées, comme celle que nous t'avons imaginée, sont un terreau fertile. Et malheureusement, l'histoire de Candide correspond tout à fait à cela alors que toi, tu es entourée d'une famille équilibrée et bienveillante. Tu ne manques de rien. Tu ne recherches rien de ce côté. Tu comprends?

– Un peu…

– Si tu avais eu ne serait-ce qu'une faille à ce niveau, jamais nous ne t'aurions confié une tâche comme celle que tu es en train d'accomplir. Et je dois t'avouer que tu es encore plus forte que ce que je pensais ! Tu es toute une comédienne, dans le fond… sourit-il.

Par réflexe, je recherchai l'assentiment de Joyce, un peu comme j'aurais cherché le regard de ma mère si j'avais été à la maison… Et c'est avec un large sourire qu'elle acquiesça aussi. Je crois d'ailleurs qu'elle avait compris dans mon regard que j'avais besoin de son avis également, situation à laquelle elle répondit en déposant un bec sur ma tête en passant derrière moi, comme si de rien n'était. Ils étaient adorables.

Bernard Johnson et Joyce me parlèrent une bonne partie de la soirée avant que je puisse retrouver la solitude de mon loft, qui se faisait douce cette fois. Après la douche, je m'empressai d'écrire à Ian avant d'aller au lit.

« Qu'il fait bon penser à toi après cette journée de fous… Et le mot folie n'a rien de superflu, crois-moi !… »

Je lui fis le résumé de ma journée tout en lui confiant au passage le stress qui me gagnait peu à peu à l'idée de ce fameux week-end… C'est en me relisant que je compris que je devais aussi lui mentionner toutes les mesures de précautions qui seraient prises et qu'il n'y avait pas de quoi s'inquiéter.

« *La bonne nouvelle, c'est que j'ai la conviction que c'est à cette date que je pourrai clore mon enquête, si tu vois ce que je veux dire… Et alors là, mais alors là, c'est fou ce que je serai heureuse de retourner à Belmont!!! Trop hâte de te revoir. Tellement!*

Laura xxxxx »

Et c'est en tentant de trouver le sommeil que je réalisai que je souhaitais de tout cœur piéger Dunlop et en finir. À défaut de quoi, je ne sais trop combien de temps encore j'aurais à supporter Bradshaw, et ce, malgré toute la bonté des Johnson…

Le cas Candide

Les semaines qui suivirent ne me laissèrent que peu de temps pour réfléchir aux événements qui s'en venaient à grands pas. En faisant connaissance avec la troupe dans son ensemble, je dus reconnaître que Dunlop avait bien fait de nous rencontrer au quotidien au fil de notre première semaine, Candide et moi, pour nous permettre de suivre adéquatement le travail du reste du groupe. Et je dois avouer que toutes deux, nous faisions du bon boulot, même si Candide m'inquiétait un brin.

Le lendemain de son témoignage, elle m'avait avoué qu'elle ne se souvenait que très peu de son récit, comme si elle s'était retrouvée en état second, disait-elle en me questionnant longuement sur les paroles qu'elle avait prononcées… Elle affichait même un air surpris en apprenant la teneur et l'intensité de ses propos. Et contrairement à ce que Didier Dunlop prétendait, elle ne s'était pas sentie plus légère après s'être ainsi mise à table.

Par contre, sur les planches, elle plongeait dans les émotions des textes avec une profondeur qui la happait de plus en plus, disait-elle. Il faut dire que la douce se donnait corps et âme.

– Tu es vraiment belle à voir aller, appuyai-je. Mais Candide, essaie un peu de te protéger aussi… Il faut que tu te rendes jusqu'à notre fameux week-end! badinai-je.

Elle souriait mais, à son air, je savais qu'elle ne ralentirait aucunement la cadence. Au contraire, elle sollicitait à fréquence régulière l'attention de

Didier Dunlop, qui se faisait un plaisir de la rassurer, de la chouchouter, de la complimenter, de lui toucher le bras, puis l'épaule, puis les cheveux, et même parfois la cuisse, quand elle était assise à ses côtés. Les yeux de Candide pétillaient. Je la sentais de plus en plus à sa merci et je ne savais plus comment m'y prendre pour la mettre en garde sans éveiller de soupçons sur moi.

Le mieux que je pouvais faire, m'avait indiqué Bernard Johnson, c'était de cultiver notre amitié et de ne surtout pas la lâcher. Si je tentais de lui faire réaliser certaines choses qu'elle n'était pas prête à entendre, elle risquait de se braquer et de s'éloigner de moi, ce qui n'était pas plus profitable pour elle, analysait-il. Et au point où j'en étais, je lui faisais désormais une confiance absolue.

Il faut dire qu'avec les travaux scolaires et les cours de théâtre qui étaient passés de une à trois soirées par semaine, j'en étais quitte pour des journées chargées. Sans compter que, depuis que je lui avais fait part de mon stage de trois jours de théâtre, Ian Mitchell n'arrêtait plus de me questionner sur mes plans et sur tous les détails entourant ce fameux week-end au chalet… Et plus ça allait, moins j'arrivais à le rassurer. J'avais beau lui dire que Bernard Johnson saurait à tout moment où je serais et qu'il se tiendrait à proximité, rien n'y faisait. Par deux fois, j'avais dû user de toutes mes forces pour le convaincre de ne pas pointer le nez chez les Johnson. Et Dieu sait qu'il en était capable !

Mes parents ne donnaient pas leur place non plus, mais eux, au moins, ils avaient de longues conversations téléphoniques avec Bernard Johnson pour les ramener à des sentiments plus... sereins. N'empêche, ils n'allaient pas attendre la semaine de relâche, et il était déjà convenu qu'ils allaient faire le voyage et venir me rendre visite à Bradshaw lors de ce fameux week-end pour me retrouver le dimanche soir, dès mon retour du chalet.

Mon père essayait de faire des blagues pour dissimuler sa nervosité, me disant que je vivrais un deuxième kidnapping en moins de six mois... Pour qu'ils me somment de manquer une journée d'école le lundi, c'est que la chose était sérieuse... Et c'était non négociable, avait conclu mon père au téléphone.

J'avoue que cette idée me souriait. Ils me manquaient beaucoup plus que ce que je leur laissais croire. J'étais devenue comédienne à temps plein, rien de moins.

J'en étais à brasser toutes ces idées, le nez apparemment plongé dans un texte de théâtre que je ne voyais plus, quand Ingrid me sortit de ma torpeur.

– Laura, Didier a assigné les places au chalet et nous allons partager notre chambre les deux soirs. Ça te va ?

– Bien sûr.

Merde. J'aurais préféré partager mon espace avec Candide mais, au cours des dernières semaines, j'avais eu l'impression que Dunlop tentait plutôt de nous éloigner un peu l'une de l'autre. Chaque fois que j'étais en conversation avec mon amie, il surgissait et nous interrompait.

Cette impression avait été tenace jusqu'à la veille de notre stage de trois jours, alors que l'on notait une fébrilité dans l'air au sein du local, particulièrement du côté des « doyennes ».

Nous avions même obtenu un passe-droit de la direction pour quitter l'école une demi-journée d'avance, ce qui nous permettait de fixer le départ à midi vendredi, avec arrivée là-bas à 13 h 45. On dînerait dans le bus, avait avisé notre « guide » Dunlop, précisant que le programme du week-end était chargé et qu'on ne perdrait aucune minute. Plus il en rajoutait sur la liste des activités qu'il avait prévues au chalet, plus je réalisais que cette escapade serait loin d'être une retraite paisible et relaxante.

Si bien que le dernier soir venu, chez Bernard Johnson, je n'avais plus aucune, mais alors là aucune envie de me taper ce fichu week-end, un sentiment que je gardai pour moi, évidemment. En revanche, j'étais drôlement interpellée par toutes les astuces de « filature » que le journaliste me donnait. Je serais même cette fois équipée d'un bouton panique qui, je l'avoue, me rassurait. Ceci dit, plus ça allait, plus je me sentais davantage espionne que journaliste… Mais bon. Disons que mon goût pour l'aventure était servi !

TROISIÈME PARTIE

Vendredi 11 février, 13 h 45

Nous avions été bien avisées que tous les cellulaires seraient interdits au chalet pour nous permettre de nous concentrer entièrement sur les bénéfices de nos ateliers. Cette consigne avait eu pour conséquences que la puce GPS qui me localiserait se trouvait désormais dans une couture de mon soutien-gorge alors que dans une autre, on avait dissimulé le bouton panique. On s'assurait ainsi qu'en aucun moment, on ne me perdrait de vue et qu'à tout instant, un seul signe de ma part alerterait Johnson, qui demeurerait non loin du lieu, tout comme ses amis policiers qui avaient bien voulu se tenir prêts pour se déployer rapidement en cas de besoin. Je devais d'ailleurs garder mon soutien-gorge en tout temps sur moi, même pendant la nuit. Ça non plus, ce n'était pas négociable.

M. Johnson m'avait rassurée deux fois plutôt qu'une sur l'efficacité de la technologie utilisée, que ce soit pour la puce, le bouton et même pour la petite caméra qui était dissimulée dans un stylo à bille. Je pourrais aussi l'activer au besoin, si jamais je sentais qu'une scène ou un discours de la part de Dunlop pouvait accréditer nos doutes. Bien au-delà d'un article, le journaliste visait à tout le moins l'ouverture d'une enquête sur cet homme. Bref, je n'avais qu'à appuyer sur le bouton au bout du stylo pour que s'active l'enregistrement. Toutes les chances de coincer Dunlop étaient bonnes, s'il y avait matière, bien sûr.

Parfois encore, je me demandais si nous n'avions pas une imagination trop fertile avec certaines tendances à la paranoïa. Ceci dit, j'allais jouer le tout pour le tout ce week-end-là et je tenterais l'impossible pour pouvoir en finir. Si l'homme ne profitait pas de ce cadre pour nous montrer à son tour de quel bois il se chauffait, je ne voyais vraiment pas à quel autre moment nous pourrions le coincer.

Ma première surprise, en arrivant sur les lieux, avait été de constater que les douze filles de la troupe qui assistaient à ce stage étaient éparpillées dans des pavillons distincts, tous reliés en étoile par des couloirs vitrés qui nous menaient jusqu'au pavillon central, là où se situait une grande salle d'exercices et quelques autres plus petites. Didier Dunlop ne nous laissa toutefois que très peu de temps pour nous familiariser avec les lieux qui, ma foi, étaient splendides. Tous les bâtiments étaient en pin, ce qui conférait au site un aspect chaleureux et carrément enchanteur. J'étais contente de pouvoir en profiter un brin, tout de même.

C'est dans le hall de ce pavillon central que l'homme nous rassembla à 14 h 30 précises, pour un cocktail, disait-il. J'en étais à souhaiter retrouver un petit goût d'Amaretto dans la consommation qu'on me servirait, comme chez Ian, quand je réalisai que le cocktail en question n'était en fait qu'une tisane... À première vue, il y en avait une de couleur rouge et une autre de couleur verte, mais personne ne semblait pouvoir choisir la sienne, Dunlop les distribuant lui-même à chacune d'entre nous sans se soucier de nos goûts en la matière.

En y regardant de plus près, je réalisai cependant que dans les faits, il n'y avait que Candide qui avait eu droit à la tisane de couleur rouge. Son état de grande relaxation, quelque temps plus tard, me fit me questionner sur la nature de ce qu'elle avait ingurgité, réveillant en moi des relents de suspicion. J'avais beau sonder mon état, je ne notais rien, alors que de son côté, elle avait l'air légèrement euphorique. Comme sous l'effet d'une substance. Ou était-ce mon imagination ?

– Ok, *girls*, héla Dunlop en tapant dans ses mains avant d'y aller d'un long laïus sur son bonheur de partager avec nous ce traditionnel « Week-end de tous les possibles », comme il l'avait baptisé pompeusement.

Candide souriait constamment et me chuchotait même quelques blagues ici et là qui ne lui ressemblaient guère. Elle alla jusqu'à siffler timidement quand Didier Dunlop annonça au groupe que, cette session, deux personnes seraient intronisées au cours d'une cérémonie spéciale dont il ne précisa ni le lieu, ni le moment, ni la teneur. Mon amie était assurément dans un état d'esprit que je ne lui connaissais pas.

Je la perdis de vue toutefois rapidement lorsqu'Ingrid m'entraîna dans le local qui était réservé à mon sous-groupe de quatre filles, incluant elle-même, qui dirigerait le premier atelier de relaxation. J'eus à peine le temps d'apercevoir Candide entrer dans un autre local en compagnie de Dunlop. Évidemment.

Ingrid ne m'avait laissé aucun choix. En fait, je m'aperçus rapidement que toutes nos allées et venues étaient savamment dirigées, ce qui ne semblait poser problème à absolument personne, sauf à moi. Si bien qu'après à peine une heure dans ce chalet, je me retrouvais contrariée, en plus d'être stressée, ce qui commençait à retenir l'attention de ma «marraine», remarquai-je.

Je me résolus donc à épouser docilement son exercice de relaxation dirigée qui, je l'avoue, procura un effet bénéfique sur mes nerfs en boule… Tout en observant ma respiration prendre un rythme apaisant et en sentant mes épaules redescendre tranquillement, je me fis la réflexion qu'Ingrid aurait pu être la fille spirituelle de Didier Dunlop tellement sa voix était hypnotique. Je me surpris même à plonger dans un brouillard confus où mon esprit relâcha un peu sa vivacité pour se retrouver presque dans un état de demi-sommeil.

Au « réveil », je dus d'ailleurs admettre que la technique était efficace à souhait. J'avais tout à coup une énergie renouvelée, prête à attaquer le second atelier qui, enfin, nous rassemblait toutes dans la pièce principale.

Cette salle était décidément ma préférée avec son toit cathédrale, son foyer en pierre et cette scène. Un peu comme une église, le lieu semblait propice à la concentration, voire au recueillement.

C'est dans ce décor que nous fûmes appelées successivement à jouer quelques scènes à consonance un peu… religieuse, je dirais. Spirituelle, à tout le moins.

Cette fois, j'avais presque fui la garde d'Ingrid pour aller m'asseoir à côté de Candide qui était encore tout sourire, l'air vaguement ailleurs.

– Ça va, Candide ? tentai-je au moment d'une brève pause avant d'entamer un nouvel exercice.

– Oh, Laura…

Le moins qu'on puisse dire, c'est que la séance de relaxation ne l'avait pas fait remonter à la surface.

– Si ça va ? Tu parles que ça va… Réalises-tu à quel point nous sommes chanceuses ? Tantôt, en séance de relaxation, je crois que j'ai connu un état de réelle béatitude, rigolait-elle. Je n'ai eu qu'à suivre la voix de Didier et hop, en quelques minutes à peine, j'étais rendue hors de la pièce. Je crois que je suis allée faire un petit tour gratuit au ciel, glissa-t-elle en me gratifiant d'un clin d'œil.

– Eh bien, elle était bonne ta tisane ? blaguai-je. À peine.

– C'est vrai. Essaie de prendre la rouge ce soir, badinait-elle à son tour.

– Arrête tes conneries…

– Ou non, attends demain, c'est notre soirée d'initiation !

– C'est demain ?

– Mais oui. Qu'est-ce qu'elle fait Ingrid, elle ne t'informe pas ? Chut… ça recommence.

Cette fois, c'est Joëlle qui était placée à l'avant, nous annonçant que nous aurions droit à un premier de deux ateliers d'expression corporelle qui visaient à délier notre corps et à le ressentir dans tous ses recoins.

Les cours de danse que j'avais déjà suivis n'étaient rien comparés aux mouvements ondulatoires que nous devions épouser, certains carrément suggestifs qui mettaient décidément à l'épreuve ma timidité. Voilà qui n'était toutefois pas le cas de plusieurs autres filles qui avaient prévu le coup et qui, graduellement, enlevaient leurs survêtements pour conserver camisoles et leggins seulement.

Outre cette absence de pudeur qui ne me ressemblait guère, tout semblait normal, même agréable. À part mes interrogations sur ces histoires de tisanes, ma mission était vaine jusqu'à présent, et je commençais à désespérer d'y trouver quelque chose de plus substantiel.

Ce n'est que le lendemain, samedi après-midi, dans le deuxième atelier d'expression corporelle, que les choses se gâtèrent un peu. Pour l'occasion, on nous invitait cette fois à enfiler notre fameux costume officiel, la fichue soutane blanche qui était effectivement suffisamment transparente pour laisser entrevoir nos sous-vêtements... Je n'aimais guère.

Je cherchai de nouveau Dunlop des yeux. Depuis la veille, il avait laissé entièrement les rênes des activités à Joëlle et Ingrid, se limitant pour sa part à faire le tour des troupes en observateur, à guider le mouvement de l'une, à ajuster la taille de l'autre, ou à donner la réplique à une comédienne dans une scène disons... plus corsée que les autres. Je remarquais d'ailleurs qu'en ce samedi, les textes choisis étaient aussi plus explicites que la veille. Rien toutefois pour sonner l'alarme, ni pour filmer une scène avec mon super stylobille.

Pour ma part, j'avais choisi de me faire aussi discrète que lui, me fondant dans le groupe au meilleur de mes capacités pour observer tout en veillant à respecter les consignes à la lettre de manière à ne pas attirer l'attention sur moi. Pour ce faire, je devais tout de même, au passage, laisser tomber mes inhibitions au maximum puisque les exercices qu'on nous proposait devenaient de plus en plus physiques.

Ce n'est qu'à 17 heures, le samedi, que Dunlop manifesta sa présence dans toute son éloquence, annonçant que le souper serait servi à 18 heures, qu'il serait suivi d'un deuxième «cocktail», et enfin d'une cérémonie spéciale prévue à 20 heures et célébrée, cette fois, par son humble serviteur, avait-il déclamé, sous les applaudissements de ses brebis égarées.

Samedi 12 février, 19 h 30

Le souper, comme tous les repas d'ailleurs, était très bien, même si les portions étaient trop petites pour mon appétit. Ce soir-là, on semblait en plus avoir manqué de bouteilles d'eau de sorte qu'à l'heure du cocktail, les tisanes faisaient fureur chez les filles et, cette fois-ci, elles étaient toutes de même couleur.

Au souvenir des effets observés chez Candide la veille, il était clair que je ne mettrais pas les lèvres dans ce liquide, que je versai subtilement dans une plante repérée plus tôt et devant laquelle je m'étais placée stratégiquement. Je n'imaginais toutefois pas à quel point cette décision fut heureuse.

En l'espace de vingt minutes, les filles avaient effectivement changé d'attitude et rigolaient à qui mieux-mieux, comme au ralenti, dans un état de relaxation qui semblait assez intense merci. Mes doutes se confirmèrent de plus en plus. Les tisanes n'étaient assurément pas à la camomille…

Pour la première fois, la notion du temps semblait d'ailleurs avoir été un peu altérée. Les coups de 20 heures étaient passés et on ne nous avait toujours pas convoquées à la supposée cérémonie. Me voyant en retrait, Candide me prit par le cou, me faisant soudainement une déclaration d'amitié qui ne me fit pas sourire du tout. La crainte montait en moi dans un crescendo de plus en plus rapide. Je n'aimais pas le bizarre de la situation et je me sentais de plus en plus exclue de l'ambiance fébrile qui gagnait les troupes.

Didier Dunlop, contrairement au groupe, semblait pour sa part en pleine possession de ses moyens et valsait à travers les élèves comme un roi dans sa cour. L'image n'était pas si farfelue puisque très vite, il nous interpella dans le même esprit.

– Toutes mes princesses sont priées de bien vouloir me suivre maintenant dans la grande salle de bal… annonçait-il avec grandiloquence.

Personne ne semblait noter le ridicule de la situation, toutes étant visiblement emportées dans un état de grâce qui me confirma qu'elles étaient bel et bien droguées.

Déjà que mes nerfs étaient à fleur de peau et que l'anxiété m'avait complètement gagnée, j'eus le souffle coupé en entrant dans la grande salle qui était entièrement éclairée aux chandelles pour l'occasion. Sur la scène, on avait même installé un genre d'autel, surplombé d'une grande croix qui me glaça le sang.

– Ce soir, c'est LA soirée de tous les possibles, répétait Dunlop en distribuant de nouveau une autre tisane. La mienne était jaune, et il n'était toujours pas question que je l'ingurgite. Personne ne se rendit compte du mouvement de panique qui me fit commettre un premier geste imprudent en versant le liquide dans l'un des deux sacs qui se trouvaient non loin de moi et qui appartenaient à on ne sait qui…

Quand je retrouvai Candide, je notai que la couleur de sa tisane était jaune aussi, alors que tout autour, on dégustait un liquide rouge identique à celui qui avait été servi précédemment.

Elle leva sa tasse à ma santé en me voyant et, avant même que j'eus le temps d'intervenir, elle avala son contenu au grand complet, dans un geste solennel.

– À toi, ma belle Laura! Ma douce amie! disait-elle en tourbillonnant sur place au son de la musique qui venait d'envahir l'espace.

En levant les yeux, je notai que tout le monde dansait maintenant. J'adoptai sensiblement la même attitude pour me fondre dans le portrait, ne sachant plus trop à quoi m'attendre. Les filles semblaient désormais en liesse pendant qu'au micro, à l'avant, Dunlop annonçait qu'il déclarait officiellement ouverte la cérémonie d'intronisation, encore une fois sous une ondée d'applaudissements survoltés!

– Et maintenant, à vos soutanes! roucoulait-il, ce qui causa un mouvement de masse vers l'arrière où Ingrid et Joëlle distribuaient les tenues.

Je fus horrifiée de constater que les deux marraines ne se gênèrent pas pour se dévêtir illico sur place sans aucune pudeur, de manière à enfiler la satanée robe blanche, imitées joyeusement par le reste du groupe. Je me sentais piégée. Figée sur place. C'est Candide, plus extravertie que jamais, qui me tira de mon engourdissement en tentant de soulever mon chandail pour m'en débarrasser. Malheureusement, mon geste fut si brusque à son endroit qu'elle se cogna solidement le front sur mon coude et me fixa d'un regard complètement perdu.

– Non, non, pardonne-moi, Candide, me repris-je aussitôt. Est-ce que je t'ai fait mal? Tu m'as fait faire le saut, je suis vraiment désolée… Ça va aller? souriai-je au mieux de mes capacités. Viens, aide-moi s'il te plaît…

Je la laissai enfin tirer mon chandail vers le haut, me tournant timidement vers un mur de manière à dissimuler les petites enflures dans les coutures de mon soutien-gorge qui contenaient mes engins d'espionnage, avant d'enfiler prestement ma soutane pour ensuite enlever mon pantalon. Je me croyais enfin sortie d'embarras quand je notai, au sol, que des sous-vêtements avaient aussi été laissés là, épars, pêle-mêle.

C'en était trop. Une brève observation des lieux me confirma que rien n'allait plus dans cette salle. Je n'avais encore jamais assisté à un « rave » mais, dans mon imagination, il devait en aller sensiblement ainsi…

Était-ce le moment de peser sur le bouton panique? Je ne savais trop. Jusqu'à présent, Johnson pourrait assurément prouver que les filles de la troupe avaient été droguées à leur insu. Je n'avais plus aucun doute sur ce fait. Mais était-ce suffisant pour coincer solidement Dunlop? Écoperait-il suffisamment pour ce geste? Serait-il facile pour lui de s'en défendre et de rejeter le blâme sur quelqu'un d'autre? Bernard Johnson serait-il déçu de n'avoir que ce faible élément en mains? Dunlop avait-il d'autres idées en tête en droguant ses élèves ou voulait-il simplement se payer une fête à la mesure de ses lubies exaltées?

Mes idées galopaient dans ma tête pendant qu'autour de moi, toutes mes consœurs semblaient se retrouver dans un état qui m'inquiétait. Elles ne me seraient d'aucun recours en cas de besoin. Allons, allons, ce ne sont encore que des filles qui s'amusent un peu trop, tentais-je de me convaincre…

Je filai néanmoins en douce jusqu'à mes jeans, pliés dans un coin de la salle, pour en ressortir le stylo à bille et procéder à un premier enregistrement sans que personne ne prête attention à mon geste, et j'emportai l'outil avec moi, le dissimulant tant bien que mal dans le ourlet de ma soutane. À tout le moins, j'aurais quelques images pour illustrer mes propos et confirmer que je n'avais pas imaginé tout cela…

Les esprits se calmèrent un peu quand Dunlop baissa le volume de la musique et changea de rythme, en imposant cette fois des espèces de chants grégoriens qui, disait-il, nous permettraient de nous concentrer sur un exercice de méditation.

Déjà que mon cœur battait anormalement, je n'allais certainement pas écouter de nouveau ses balivernes... C'est alors que je le vis aller cueillir les deux sacs que j'avais remarqués dans un coin de la salle, dont l'un contenait le déversement de ma tisane... Je pris panique en imaginant qu'il puisse se rendre compte que l'une des filles s'était débarrassée de sa potion...

Mais il semblait trop concentré sur son menu de soirée. À l'avant, il avait déjà commencé sa méditation dirigée qui, ma foi, ressemblait bien davantage à une séance d'hypnose.

– Vous êtes dans un état de profond bien-être. Rien ne peut vous inquiéter. Au contraire, vous vous sentez en sécurité, aimées, cajolées. Vous aimez cet effet et vous le recherchez...

Hypnose. L'évidence me sauta au visage et me terrifia sur place. Était-ce le moment de peser sur le fichu bouton panique? Je ne savais plus où donner de la tête. Pour la première fois de ma mission, je considérais que je n'étais pas assez expérimentée pour juger de la situation.

C'est Dunlop qui m'aida à prendre une décision et qui accentua mes craintes en adoptant un discours quasi religieux. Il était question de procéder au «baptême» des deux nouvelles recrues.

– Candide et Laura, l'une après l'autre, vous allez venir me rejoindre à mon signal et vous profiterez avec réjouissance de la séance de purification qui vous sera dispensée et qui chassera une fois pour toutes les énergies négatives qui peuvent nuire à vos performances scéniques… Vous serez ravies d'être enfin baptisées et de devenir officiellement l'une des nôtres. Cette célébration sera l'expérience la plus exaltante de tout ce que vous avez connu jusqu'à ce jour.

Je détournais le regard, je chassais les images qu'il créait dans ma tête, mais il m'en aurait fallu beaucoup plus pour contrecarrer mon état de panique qui grimpait en flèche et qui s'accentua encore davantage en prenant conscience que toutes les filles, agenouillées au sol maintenant, ingurgitaient ses paroles dans un état de disponibilité avancé. Elles semblaient presque en transe en murmurant désormais des «mantras» sous les consignes de Dunlop qui demandait cette fois à Candide d'avancer sur scène pour sa purification.

Sous les nouveaux projecteurs qui provoquaient un éclairage savamment dirigé, on voyait clairement le corps nu de mon amie sous le fin tissu blanc. Alors que toutes les filles avaient les yeux fermés, entièrement concentrées sur les paroles du maître de cérémonie, je vis tout aussi clairement le regard pervers de Didier Dunlop qui détaillait Candide sans vergogne avant de sortir de l'un des sacs un contenant qui ressemblait à un objet d'église.

Cette fois, je sentais carrément le danger. Je repris le stylobille, le remis en fonction et appuyai solidement sur le bouton panique. En l'espace de quelques secondes, j'en étais même venue à me demander si je n'avais pas finalement trop tardé avant de prendre ma fichue décision !

Candide avait les yeux fermés sur scène, face à la salle. Je devinai qu'elle n'était absolument plus là. Soudain, c'est Ingrid qui prit le relais du côté de la méditation pendant que Joëlle tirait devant l'autel de grands rideaux de velours bleus que je n'avais pas remarqués jusque-là.

Candide était seule derrière le rideau avec Dunlop désormais. Je plaçai mon stylobille par terre dans un angle qui, je l'espérais vivement, permettrait de capter quelques images de la salle et je rassemblai toutes mes énergies pour foncer droit devant, espérant de tout mon cœur entendre les sirènes de police s'élever. Tout se déroula par la suite à la vitesse de l'éclair.

Joëlle a bien tenté de m'intercepter dans ma course, mais mon élan était féroce. Je fouillai rageusement dans le tissu de velours pour tenter de trouver l'intervalle qui me permettrait de me glisser sur ce maudit autel, que je dénichai enfin pour découvrir une image qui me figea sur place.

Candide était couchée sur l'autel, entièrement nue, jambes légèrement écartées, pendant que Dunlop glissait sur son corps un bâton imbibé de liquide. L'homme était si concentré sur sa tâche qu'il ne me vit venir qu'au dernier instant, quand je me jetai sur lui comme une furie.

Sous le coup de la panique, mes forces semblaient décuplées, sans compter les cris qui montaient en moi pendant que je frappais Dunlop sans vergogne, jusqu'à ce qu'il reprenne le dessus pour me plaquer le dos contre l'autel, faisant jaillir en moi une douleur percutante que j'oubliai rapidement en me débattant de toutes mes forces pour me sortir de l'impasse.

Ingrid et Joëlle lui vinrent en aide pour ne plus me donner aucune chance. Ma tête cogna le sol et je me sentis paralysée sur place. Dans le brouhaha anormal, j'entendais les murmures des élèves s'élever derrière le rideau et je priais pour qu'elles reprennent leurs esprits mais, quand le rideau s'ouvrit sur leurs regards perdus, elles étaient complètement figées. Abasourdies.

J'avais beau m'époumoner en leur criant de m'aider, rien n'y faisait quand, enfin, j'entendis un bruit de sirène au loin. Très loin. Je vis néanmoins la panique dans les yeux de Dunlop qui relâcha enfin sensiblement son étreinte, me permettant de profiter de cette faiblesse pour me faufiler et pour filer à vive allure. C'est en poussant solidement les filles qui avaient le malheur de se trouver sur mon chemin et en sautant d'un bond en bas de la scène que je courus vers la sortie.

Je notai que personne n'était sur mes talons, mais j'étais désormais dans un état de panique tellement avancé que je pris la première porte extérieure pour me sauver dans la noirceur et la froidure du boisé. Dans un réflexe que je m'explique mal, je ne m'arrêtai plus de courir, jusqu'à ce que je voie des lumières, au loin, qui se dessinaient entre les arbres. Je fonçai vers elles de plus belle. J'étais tombée deux fois déjà et j'étais à bout de souffle quand, avec une stupéfaction encore inégalée, j'aperçus un Jeep bleu identique à celui de Ian Mitchell s'immobiliser devant moi. Et lui de descendre…

J'en étais à croire qu'on m'avait aussi droguée. J'eus le réflexe insensé de tourner les talons prestement quand je le sentis me happer solidement et m'entraîner dans son véhicule. Sous le choc, je criais encore et je gigotais sans arrêt pendant qu'il tentait de me calmer en continuant obstinément à me serrer dans ses bras pour m'immobiliser tout en me soufflant du mieux qu'il le pouvait que tout était terminé maintenant.

Je voyais les gyrophares de police tourbillonner autour de nous… Ce n'est qu'au moment de voir le visage de Bernard Johnson dans l'embrasure de la porte du véhicule que je repris un tant soit peu mes esprits tout en m'égosillant pour lui crier des bribes d'informations disparates. «La grande salle! Le pavillon central! Le stylo! Candide!» pendant que Ian tentait solidement de me retenir dans ses bras, ne serait-ce que pour réchauffer mon corps frigorifié.

– Surtout reste là, Laura. On s'en charge! me cria un Johnson au visage crispé. Un visage presque déformé que je ne lui avais encore jamais vu.

Mais cette phrase, ce ton de voix, ce timbre furent les éléments déclencheurs qui firent jaillir l'énorme sanglot qui m'étreignait.

– C'est fini, c'est fini, Laura, chuchotait Ian qui n'avait jamais lâché prise tout ce temps.

Cette phrase, ce ton de voix, ce timbre firent le reste du travail pour que, finalement, mes épaules acceptent de retomber un peu et que mon corps secoué de tremblements s'abandonne enfin.

Je ne pourrais dire combien de temps nous sommes demeurés ainsi, soudés sur la banquette arrière du Jeep bleu, moi sanglotant sans arrêt et lui essuyant mes larmes à intervalles réguliers alors que sur son visage, les siennes coulaient silencieusement.

– Je ne te laisse plus partir, Laura. Jamais plus tu m'entends ? Ça suffit maintenant…

Il donnait l'impression de se parler à lui-même pendant que j'essayais en vain de me raisonner et d'arrêter de pleurer ! Mais mon corps en avait décidé autrement… Jusqu'à ce que, bercée dans ses bras, j'en vienne à tomber dans un état un peu plus calme qui ne se fracassa qu'au moment où j'ouvris les yeux sur un homme en uniforme.

Un ambulancier dut répéter plusieurs fois ses consignes à Ian pour que ce dernier consente enfin à me laisser aller dans les bras de deux autres hommes. La civière était à côté. Je me sentis levée d'un seul souffle avant d'atterrir à l'horizontale…

À proximité, j'entendis ce qui m'avait tout l'air d'une escarmouche entre Bernard Johnson et Ian Mitchell qui se disputaient vraisemblablement l'unique place dans l'ambulance. La partie de bras de fer donna sûrement raison à Mitch puisque c'est lui que je vis se glisser à mes côtés.

C'est aussi lui qui prit mes mains, mais c'est un autre homme qui saisit mon bras et l'encercla d'une espèce d'élastique qui me pinça la peau. C'est encore cet homme qui, je le compris à la toute dernière minute, me donna une injection. La dernière image de cette soirée fut la plus belle. Celle de Ian qui, le regard penché sur moi, semblait toujours me parler. Ses lèvres bougeaient, à tout le moins…

Dimanche 13 février, 7 heures

Lorsque j'ouvris un œil, je sentis une présence à mes côtés. Recroquevillé et tout habillé, Ian y dormait paisiblement alors que près du lit, dans un fauteuil qui semblait extrêmement inconfortable, Bernard Johnson avait les jambes étendues au sol et la tête renversée vers l'arrière, les yeux clos. J'osais à peine bouger même si je sentais que mon corps était endolori.

La scène qui m'entourait me parut sordide encore une fois et il me fallut un moment pour que je remette les éléments en place dans mon cerveau à demi réveillé. Puis tout me revint en mémoire. La tisane, la danse, la méditation, les incantations, les rideaux de velours, Candide!

Ian se réveilla promptement à mon déplacement, faisant sourciller à son tour Bernard Johnson qui, en deux temps trois mouvements, était déjà rendu auprès de moi, du côté contraire à Ian Mitchell qui lui, encore perdu, se fit sommer par Johnson de descendre de là sur-le-champ. Il s'exécuta sans chigner cette fois, ne lâchant toutefois pas ma main.

– C'est fini, Laura. Tout est fini maintenant. Tout va bien, répétait M. Johnson nerveusement.

– Mais Candide!

– Elle va bien, elle est avec nous, dans une autre chambre, ne crains rien, tout est correct maintenant…

Mon soupir se fit long et profond. Jusqu'à ce qu'une seconde secousse me fasse tressaillir de nouveau.

– Et Dunlop?

– Il est entre les mains des policiers, ne crains rien, Laura. Je te jure que tout va bien… J'ai même récupéré le stylo… Tu as fait un sapré boulot ma belle…

Je ne l'avais encore jamais entendu parler de cette manière. Encore moins avec des yeux visiblement attendris, voire humides. Quand je compris qu'il était tout simplement ému, des larmes montèrent à mes yeux de nouveau.

– Misère… soufflai-je.

– Tu peux le dire, oui! renchérissait Johnson avec un sourire qui en valait mille et qui me fit grand bien.

J'en profitai pour tenter de me relever un peu, un geste que Mitch tenta de faciliter en m'aidant à me remonter «tout-dou-ce-ment…», insistait-il.

– Ian, que fais-tu ici?

C'est Bernard Johnson qui répondit.

– Ah ça! Il aura quelques explications à te donner, le jeune homme… siffla-t-il. Il est assez coriace merci, ton copain…

– Je t'expliquerai tout, Laura… Mais pas tout de suite… Repose-toi encore un peu, le médecin devrait passer bientôt…

– Mais non, je suis correcte, opposai-je tout en essayant de me relever encore davantage pendant qu'il déposait un oreiller derrière mon dos, ce qui me permit de voir une scène qui me bouleversa de nouveau.

Dans l'embrasure de la porte, mon père était immobile et ma mère était en larmes. Tous les deux silencieux et apparemment paralysés, ne semblant rien comprendre de ce qui se passait dans cette chambre, ni qui était ce jeune homme que mon père dévisageait déjà sévèrement.

C'est Johnson qui alla à la rencontre de mon père pendant que maman était déjà à mes côtés, flattant mes cheveux en sanglotant et en ne faisant que prononcer mon prénom.

– Ça va, maman. T'en fais pas, je t'assure.

À ces mots, elle plongea sa tête dans mon cou en s'excusant entre deux hoquets. La phrase suivante, elle essayait de me dire à quel point elle avait eu peur. En somme, elle était réellement terrifiée, si bien que je n'arrivais plus à la consoler, d'autant plus qu'elle me faisait pleurer de nouveau.

Elle ne se releva qu'au moment où mon père tenta de se faire une place auprès de moi. La scène qui suivit me parut tout aussi insensée. Mon père m'avait déjà relevée et m'enlaçait fermement jusqu'à me faire un peu mal pendant qu'au-dessus de son épaule, je vis Bernard Johnson prendre ma mère dans ses bras.

– Ne vous inquiétez plus, madame St-Pierre. Je vous jure qu'elle est tout à fait bien. Rien ne lui est arrivé sinon qu'un petit choc nerveux… Elle est sous observation seulement et nous allons rentrer bientôt, disait-il en m'informant du coup de mon état de santé, ce qui me rassura tout de même.

Mon père relâcha enfin son étreinte, ma mère se dégagea timidement de celle de Bernard Johnson, de sorte que les quatre étaient désormais sans mots dans cette pièce parfumée d'une atmosphère troublante, qui devenait vraiment lourde.

C'est Ian qui brisa le silence en se présentant solennellement, tendant la main à mon père qui semblait ne pas trop savoir quoi en faire.

– Mon nom est Ian Mitchell. Je suis le copain de Laura.

Son ton était doux, poli, mais ferme.

– Le copain de Laura… répéta mon père incrédule, en serrant enfin la main qui lui était tendue, ne serait-ce que très brièvement.

Je ne savais plus où regarder, de sorte que c'est sur Bernard Johnson que se déposèrent mes yeux embarrassés. Les siens étaient surpris. Il venait de réaliser que mes parents n'étaient aucunement au courant…

– Il nous a été d'une grande aide, souffla Johnson avec réserve. D'ailleurs, je n'appelle plus ça un copain, j'appelle ça un chevalier servant…

Malgré l'inconfort de la situation, sa remarque me fit sourire et eût le même effet sur Ian, qui ne bronchait toujours pas toutefois, résolu à ne quitter ces lieux sous aucun prétexte.

– Ian, je te présente mes parents, tentai-je. Maman, papa, Ian Mitchell… mieux connu sous le nom du bellâtre, juste pour toi, maman…

Elle ne put s'empêcher elle aussi d'esquisser un sourire à ma blague… En fait, il n'y avait que papa qui semblait ne pas vouloir se dérider. Je voyais que mon «copain» ne savait plus vraiment comment agir. Ce qui ne l'empêcha pas d'essayer de se sortir de cette situation.

– Votre fille, monsieur St-Pierre… Elle n'est pas tenable… dit-il gauchement.

Cette fois, nous fûmes tous pris d'un fou rire, sauf mon paternel toujours, alors que Ian, pantois, semblait se demander ce qu'il avait dit de si drôle…

– Je vais la retenir celle-là, répondit sérieusement mon père qui vint s'installer à mes côtés. Et toi, ma «pas tenable», comment ça va?

J'étais en train de raconter à chacun tous les détails de ma «mission» quand Joyce arriva dans la pièce discrètement en compagnie de Holly, me faisant signe de poursuivre tout en déposant sur une table le gros bouquet de fleurs qu'elle tenait à la main…

Chacun s'était trouvé une chaise ou un bout de lit et tous m'écoutèrent sans m'interrompre une seule fois jusqu'à la fin, au moment où je priai Bernard Johnson de nous raconter la suite.

– Dunlop a donné du fil à retordre aux policiers, m'expliqua-t-il. Le saligaud a pris la fuite à travers le boisé. Je ne sais pas s'il s'imaginait pouvoir fuir aussi aisément mais, au bout d'une heure, il était cerné. À part deux filles qui essayaient de défendre le professeur autant comme autant, les autres élèves semblaient toutes sous le choc et ne comprenaient pas ce qui venait de se passer là. Toutes étaient sous l'influence de l'ecstasy, une drogue populaire chez les jeunes… alors que dans les tests effectués sur Candide, on a trouvé, en plus, la drogue du viol.

Ma stupéfaction était grande, mais celle des autres l'était encore davantage. Je ne pus m'empêcher de poser la question.

– Est-ce que Candide…

– Non, intervint rapidement M. Johnson. Candide n'a pas été violée. Mais si tu veux mon avis, il s'en est fallu de peu…

– Et les autres, est-ce que vous croyez… qu'elles étaient sur sa liste ?

– Selon les témoignages recueillis, on peut présumer qu'elles n'étaient pas sur sa liste… En fait, je crois qu'il n'y avait que Candide… et toi dans ses plans, ce soir-là du moins. Mais on craint qu'il n'en était pas à ses premières cérémonies du genre… L'enquête qui va suivre nous le dira.

Les larmes de ma mère étaient reparties de nouveau, mon père affichait un visage fermé et renfrogné, alors que moi, je ressentais une colère qui montait.

– Si vous me permettez, j'aimerais bien parler seule à seule avec Laura avant que vous ne la rameniez chez vous, intervint doucement Holly. Ça ne presse pas, mais j'y tiens.

Mes parents étaient loin de s'en offusquer et accueillirent plutôt la proposition de la jeune femme avec reconnaissance.

– Et les gens du *Métropolitain*… Qu'est-ce qu'ils ont dit ? Est-ce que vous allez tout sortir dans le journal ?

– Dès demain matin, oui, répondit mon partenaire journaliste.

– Et ces fleurs, ça vient de la rédaction, annonça Joyce. On les a livrées à la maison à la première heure…

– Ouhhh, me souffla Ian, tout sourire.

J'avais beau avoir les idées en bataille dans le brouhaha des événements, je ne pouvais pas croire encore qu'il était là, pas plus que je ne comprenais comment diable il s'y était pris pour me retrouver.

Lundi 14 février, 9 heures

Même dans mes rêves les plus fous, je n'aurais pu imaginer plus beau jour de Saint-Valentin. Tout d'abord, les Johnson n'avaient rien voulu entendre de la chambre d'hôtel que mon père voulait réserver la veille.

Dès que le médecin autorisa mon congé en tout début d'après-midi, nous avions donc tous filé vers la maison de Bradshaw où l'atmosphère s'était transformée en agréable réunion quasi familiale. Même Ian avait été admis, jusqu'à passer la nuit sur le divan du salon, mes parents occupant la seule autre chambre d'amis qui était disponible après mon «loft», qui avait fait écarquiller les yeux de mon amoureux.

Bernard Johnson nous avait faussé compagnie pendant trois heures en après-midi pour aller écrire au journal, mais était revenu à temps pour le souper de Joyce, qui s'était surpassée. Holly en avait profité pour s'entretenir avec moi seule à seule alors que mes parents avaient passé quelques appels téléphoniques de manière à rassurer tout le monde, notamment mes grands-parents et, surtout, Thomas et Simon qui en avaient été quittes pour s'organiser seuls à la maison devant leur départ précipité au beau milieu de la nuit.

Aujourd'hui lundi, notre départ était fixé en fin d'avant-midi, le temps de relaxer un brin, de faire mes bagages et de saluer nos hôtes comme il se devait. Mais tout d'abord, le déjeuner fut festif à souhait alors que chacun s'échangeait *Le*

Métropolitain où Bernard Johnson occupait la « une » et la « trois » avec un dossier qui avait alerté Bradshaw au grand complet.

Il m'avait d'ailleurs réservé une surprise de taille en signant le texte de la première page avec une parenthèse qui accompagnait son nom et qui me chavira : (*avec la collaboration de Laura St-Pierre*). Je m'y étais reprise à deux fois mais j'avais bien lu. Mon nom était bel et bien sur la une du *Métropolitain* ! Tout, ce jour-là, me semblait plus grand que nature.

En page 3, le journaliste avait par ailleurs consacré un autre texte à mon travail d'infiltration. L'article était même accompagné de ma photo.

– Tu ne pouvais pas t'y opposer cette fois, souriait Johnson. C'est bel et bien en tant que journaliste qu'on te présente…

L'ensemble était intimidant au plus haut point, mais je ressentais aussi une grande fierté, même si la situation me dépassait complètement.

Tout le monde ne parlait plus que de ça, semblait-il. La nouvelle entourant le très sélect Collège Fisher avait créé une réelle commotion et avait fait le tour de la province au grand complet, si bien que les demandes d'entrevues fusaient. Pour Johnson, et pour moi… Ce qui redéfinit un peu le plan de match de la journée d'ailleurs.

Il était environ 11 heures quand notre hôte journaliste proposa à mes parents de passer une deuxième nuit à la maison, ce qui nous permettrait à lui et à moi de participer à deux entrevues aux nouvelles de fin de journée, disait-il.

– Nous ne répondrons pas à toutes les demandes mais ce que je vous propose, si Laura accepte bien sûr, c'est de sélectionner deux entrevues seulement, soit une sur chacune des grandes chaînes télévisées. Pour Laura, ce serait une occasion en or de récolter un peu le fruit de son travail, et je ne vous cacherai pas que la direction du *Métropolitain* serait ravie de ce type de reconnaissance...

Visiblement, mes parents étaient eux aussi un peu dépassés par les événements et n'osaient pas vraiment nous tirer le tapis sous les pieds.

– Eh bien, on dirait bien que notre Laura est sur le point de connaître ses quinze minutes de gloire, souffla mon père en jaugeant ma mère du regard.

Elle téléphona d'abord de nouveau à la maison pour vérifier si tout allait bien et si ses gars pouvaient passer une deuxième journée orpheline... Elle rigolait en leur expliquant les raisons de notre retard et souriait en les écoutant s'exclamer au bout du fil.

– Je crois que c'est la fête à la maison, me souffla-t-elle joyeusement. Même Zoé est là !

– Hein ? Zoé ?

À 15 heures, Bernard Johnson et moi partions en direction des studios, où mes parents et Ian étaient même autorisés à assister en silence à mes entrevues, confortablement assis sur des chaises en retrait.

Évidemment, tous ces projecteurs et ces caméras m'impressionnaient drôlement mais, grâce à la présence de Bernard Johnson à mes côtés et des miens à proximité, ma nervosité s'évapora presque entièrement en cours de journée.

Je crois que j'avais le sourire solidement accroché quand, à côté de moi, Johnson expliquait aux intervieweurs comment j'en étais arrivée à évoluer pour le *Métropolitain* à mon âge…

Les questions qui m'étaient destinées reposaient davantage sur ce que j'avais vécu au cours de cette première expérience ou sur les méthodes que j'avais utilisées pour parvenir à réussir ma filature au sein du collège privé. J'en profitai d'ailleurs pour m'excuser auprès de ceux et celles que j'avais bernés à travers mes fonctions.

Chemin faisant, le tout se déroulait pour moi comme si la situation était vécue par quelqu'un d'autre. Je ne pouvais croire que les animateurs vedettes de la télé se trouvaient là, devant moi, à me poser des questions avec une gentillesse que je ne soupçonnais même pas. Pire que ça, ils me donnaient l'impression d'être honorés de nous avoir sur leur panel et nous remerciaient d'avoir accepté leur invitation… Ma planète était virée à l'envers.

Il faut dire que la présence expérimentée de Bernard Johnson à mes côtés, qui me dirigeait d'une main de maître, qui me présentait à tout le monde et qui me conseillait avec tout le professionnalisme de sa vaste expérience, avait eu le don de me donner de l'assurance avant même que les premiers projecteurs s'allument sur nous.

Sur le chemin du retour, le verdict était tout à fait positif.

– Laura, tu as fait ça comme une pro ! rigolait M. Johnson.

– Tu n'avais même pas l'air intimidée ! renchérissait ma mère.

Jusqu'à mon père qui s'enorgueillissait désormais.

– Qui aurait dit qu'un jour, ma fille serait interviewée aux nouvelles du soir…

– Et ma blonde alors… renchérit Ian.

Celle-là, il l'avait échappée. Jusque-là, il avait pourtant su se faire discret, sachant que mon père n'entendait pas à rire.

Ian avait évidemment noté la froideur de mon père. J'avais surpris une conversation entre mes parents alors que ma mère tentait de calmer mon paternel en lui rappelant que Ian m'avait peut-être sauvé la vie, après tout… Mais rien n'y faisait.

Il faut dire que de toutes les invraisemblances qui se déroulaient autour de moi depuis les vingt-quatre dernières heures, l'image de Ian Mitchell au cœur de nos activités était celle qui me fascinait et me comblait le plus. La seule chose qu'il me manquait, c'était un moment d'intimité avec lui. Et à voir manœuvrer mon père, je savais pertinemment qu'il ne m'en laisserait pas l'occasion non plus…

Dans les faits, je n'avais pas juste cette envie folle de lui sauter au cou à tout moment. Il me tardait aussi de savoir comment diable il avait réussi à me retracer. Le sujet semblait tabou entre Bernard Johnson et lui. Leur attitude à tous les deux m'avait d'ailleurs indiqué à quelques reprises qu'il valait mieux attendre encore un peu avant de soulever le sujet.

En revanche, après les secousses du début, Ian et Bernard Johnson semblaient désormais s'entendre tout à fait. Le journaliste avait même vraisemblablement aidé la cause de Ian sans le savoir en le questionnant abondamment sur ses expériences de photographe ou sur ses escapades avec les environnementalistes dans le Grand Nord comme ailleurs. Son intérêt avait été contagieux et, à fréquence régulière, j'avais été épatée de voir sur le visage de ma mère une appréciation que je n'avais même pas osé imaginer… Le visage de mon père était malheureusement demeuré stoïque.

Comme je l'avais pressenti, mes parents n'avaient pas l'intention de nous laisser retourner à Belmont tous les deux en toute intimité lorsque le départ fut définitivement sonné, le mardi avant-midi. Sous mon regard suppliant, ils avaient tout de même accepté que je fasse le chemin du retour dans le Jeep bleu, mais ils nous suivaient de près, et c'est avec eux que nous allions nous arrêter au restaurant en cours de route… Ian et moi avions évidemment abondé dans leur sens en toute bonne grâce.

Ceci dit, j'avais eu tout de même du mal à retenir mes larmes en quittant les Johnson. C'est alors qu'ils m'avaient invitée à séjourner de nouveau chez eux au moment où je devrais retourner à Bradshaw pour témoigner en cour contre Didier Dunlop. Mais ça, juste à y penser, j'en avais le frisson…

Nous venions à peine de tourner le coin de la rue où habitaient les Johnson quand Ian s'exclama :

– Enfin seuls !

Malgré mon sourire, mon silence l'alerta.

– Bon, je sais, j'ai quelques explications à te donner... dit-il.

Il était descendu de quel nuage cet ange ? Je n'avais même pas eu à lui poser la question...

– Mais promets-moi d'abord que tu me laisseras le temps de te prouver que je ne suis pas l'énergumène impulsif que tu risques de t'imaginer... avisa-t-il.

Il m'inquiétait cette fois.

– Ian, tu me la racontes ou pas cette histoire ?

– T'as pas promis...

Parfois, il ne faisait pas ses vingt ans.

– C'est promis, tu peux y aller...

– Bon.

Il prenait diablement son temps...

– Il est vraiment intéressant ton Bernard Johnson, mais il est aussi un peu rigide, tu ne trouves pas ? amorça-t-il vaguement.

– Est-ce que tu vas me faire languir comme ça jusqu'à Belmont ?

– Quand je vais te faire languir ma belle, tu vas le sentir plus que ça, je te le promets...

Le courant était intact entre nous. Nous étions seuls depuis cinq minutes à peine qu'il venait de déclencher une première onde électrique, et mon premier éclat de rire.

– On dirait bien que tu changes de sujet, là…
le ramenai-je.

– Et dis-moi, tu l'aimes mon sujet?

– Ian!…

Ange ou diable, je ne savais plus. Tout ce que je savais, c'est que si je le laissais gagner du terrain sur ce plan, je me retrouverais K.O. en moins de deux. En une phrase, il pouvait m'extirper toutes mes forces!

– O.k., si t'insistes, souriait-il.

– J'insiste.

Je compris d'ailleurs rapidement pourquoi il m'avait demandé de lui promettre un peu de patience à son endroit. S'il m'avait mis au courant de ses plans, je sais que jamais, je ne l'aurais laissé faire…

Ian avait d'abord cueilli auprès de moi toutes les informations nécessaires en me faisant élaborer les plans que Bernard Johnson me réservait. C'est dire que pendant que j'essayais de le rassurer, lui prenait des notes. Pas très chouette.

– J'étais persuadé que malgré toutes vos précautions, tu courais quand même des risques. Je n'étais pas capable de me raisonner, Laura, plaidait-il. Jure-moi que si la situation avait été inversée, tu serais restée là sans rien faire, sans même rien essayer.

1 - 0 pour lui.

Toujours est-il qu'il avait utilisé son statut de photographe de presse et qu'il était passé par la Fédération professionnelle des journalistes pour trouver les coordonnées de Johnson. Il savait que le journaliste avait prévu se rendre à proximité des lieux le vendredi soir. Il s'était donc posté devant sa résidence, avait attendu patiemment son départ et l'avait suivi jusqu'à son hôtel. Et il y avait loué une chambre, lui aussi.

– Dis donc, la filature, ça te connaît encore plus que moi, soupirai-je.

– Peut-être, mais disons que je n'ai pas tes talents pour le jeu…

Ian Mitchell avait sous-estimé la perspicacité du journaliste qui avait bel et bien noté qu'un Jeep bleu l'avait suivi pendant plus d'une heure, depuis Bradshaw. Il avait donc à son tour surveillé Mitchell lors de son enregistrement à l'hôtel et avait cogné à sa porte cinq minutes plus tard, le sommant de se présenter…

– T'es sérieux ? Il a vraiment fait ça ?

Je ne pouvais m'empêcher de sourire devant la scène qui prenait forme dans ma tête.

– Hé, ho, on dirait que tu prends pour lui, là…

– Mais non… Mais tu te rends compte qu'il aurait aussi tout simplement pu demander à ses copains policiers d'aller te visiter ?

– Ouin, ben vous avez de la suite dans les idées…

– Comment ça ?

– C'est exactement ce qu'il m'a dit qu'il ferait si je ne quittais pas immédiatement les lieux. J'ai bien essayé de lui faire entendre raison, de le convaincre que je me ferais discret et qu'en aucun cas, je risquais de faire déraper vos plans, mais il ne voulait rien entendre.

– Hon… Qu'est-ce que tu as fait ?

– Je suis parti.

– Où ça ?

– À un autre hôtel trois coins de rue plus loin, qu'est-ce que tu penses…

– C'est pas vrai… Mais alors, comment t'as su qu'il se passait quelque chose le samedi soir ?

– Ben… Tu crois qu'il n'y a que lui qui peut se procurer une puce GPS ?

– Quoi ?

– J'ai placé une puce sous sa voiture et j'ai attendu le signal.

– T'as fait ça ?

– Bien sûr ! Tu sauras, ma Laura, que tu peux compter sur moi pour veiller sur toi…

– Mais attends. Si c'est la puce de son véhicule qui t'a alerté, c'est donc qu'il est parti avant toi ? Comment se fait-il que tu m'aies interceptée avant lui alors ?

– Et voilà ! Laura, je l'aime bien ton Johnson, mais il a quoi… quarante-cinq, cinquante ans peut-être ? Et il roule en Lexus, le monsieur ! T'as vu le chemin de terre qu'il fallait emprunter pour se rendre à ton fichu chalet dans le bois ? Dès qu'il s'est engagé dans le sentier, il s'est pratiquement embourbé dans la boue, ton héros…

– Dis-moi que tu ne l'as pas dépassé…

– Tu parles si je l'ai dépassé ! Et je te signale que si je ne t'avais pas interceptée, comme tu dis, fouille-moi où on t'aurait retrouvée cinq minutes plus tard. T'as vu un peu dans quel état je t'ai ramassée chérie?

Chérie… Il utilisait vraiment toutes ses armes de séduction massive.

– Mais voyons, il m'aurait retrouvée, tu le sais bien.

– Non, je ne sais pas. ON ne le sait pas. Si tu n'avais pas vu les phares de mon véhicule, dis-moi donc de quel côté tu te serais dirigée à ce moment-là, hein?

2 - 0 pour lui.

– Je me serais arrêtée tôt ou tard… Les policiers ont retrouvé Dunlop, ils m'auraient retrouvée moi aussi, jamais je croirai.

– Et si c'est Dunlop qui t'avait retrouvée en premier? Je te rappelle qu'il a pris le bois lui aussi…

Cette fois, je dus admettre qu'il avait gagné. Les chances étaient minces pour que son scénario catastrophe se soit produit, mais il avait bel et bien semé un doute dans mon esprit, assez pour qu'un frisson parcoure mon dos. Et cela non plus, ça ne lui avait pas échappé.

– Tu as froid? Tu veux que je te réchauffe? Je peux m'arrêter sur le bord de l'autoroute et faire le nécessaire si tu veux… Je suis là, Laura… Que tu le veuilles ou non, je suis là… Je vais lui dire, moi, à ton père que tu avais besoin de mes soins…

Quand on dit K.O., c'est K.O. Je rendis les armes dans un éclat de rire que je ne pouvais plus retenir.

– Tu as vraiment réponse à tout!

– À nous deux, claironna-t-il. Emmène-les tes questions…

Je ne sais pas si, dans la voiture qui nous suivait, on pouvait nous voir rigoler comme deux larrons.

– Ok, puisque tu le demandes, j'en ai une, me repris-je.

– *Shoot.*

– En fait, tu n'as jamais vraiment répondu à celle-là… Dis-moi une fois pour toutes. Comment un gars de vingt ans comme toi peut s'intéresser à une fille de quinze ans comme moi ?

– Bientôt seize !

– Oui, mais bon… Tu sais ce que je veux dire…

– Je suis juste plus perspicace que la majorité des gars, souffla-t-il. À l'heure où l'on se parle, Laura, je parie que la moitié des mâles de Belmont âgés entre douze et vingt-cinq ans se battraient pour être à ma place aujourd'hui…

– Arrête…

Je n'avais plus de réparties à lui fournir.

– Arrête de dire arrête. Je n'arrête plus. T'es faite. Tu ne peux plus te sauver. Mon coffre à gants est rempli de puces GPS !

– Mais arrête un peu… rigolais-je.

– Si j'arrête, je t'embrasse sur-le-champ.

– Arrête… Oh, pardon…

Mais cette fois, il arrêta le moteur, devant mon visage totalement éberlué.

– N'arrête pas ! T'es fou ? Ian ! Mes parents !

Je ne comprenais même plus son sourire.

– Ils sont juste là, tes parents. Nous sommes au restaurant, ma belle… me nargua-t-il en me fixant droit dans les yeux avec cette intensité que je lui connaissais.

J'en étais à mon deuxième choc électrique. Si nous avions été seuls tous les deux, je ne répondais plus de moi.

– Et si tu ne descends pas tout de suite, dit-il…

Il se pencha vers moi pour me chuchoter son dernier avertissement.

– … ton imagination n'est pas assez grande pour songer à ce que je pourrais te faire…

FIN

Suivez Laura St-Pierre sur